LA CUISINE ITALIENNE

LA CUISINE ITALIENNE

Mary Reynolds

GRÜND

PRÉFACE

par Armando Orsini

L'un des aspects les plus fascinants de l'Italie est que c'est un pays de grands contrastes ; parfois le passé et le présent se heurtent, le plus souvent ils s'interpénètrent harmonieusement ; chacun d'eux laisse découvrir sa valeur et sa beauté propre. On peut considérer que s'asseoir sur un fauteuil florentin du XVIe siècle offrira une certaine joie esthétique ; mais avoir la possibilité de se reposer dans un fauteuil moderne, conçu et réalisé à Milan, peut vous procurer la même impression d'élégance et de confort. Le même contraste apparaît si on compare les Alpes majestueuses et les plaines de la vallée du Pô, les monuments romains et les gratte-ciel.

Les mêmes contrastes se retrouvent dans la cuisine italienne. Cet ouvrage met en corrélation un riche passé avec le présent. L'auteur a rassemblé une grande variété de recettes, depuis la très classique *Zuppa di pesce* (page 73), aussi ancienne que Venise elle-même, jusqu'à la *Timballo di riso con scampi* (page 74) du XVIIIe siècle, ce plat qui peut être préparé dans des moules de formes différentes ; il n'a pas négligé non plus les recettes plus modernes, comme l'*Anitra arrosto al marsala* (page 83) : le marsala n'est apparu qu'après 1861.

Depuis les fêtes somptueuses des Romains, en passant par le Moyen Age, l'opulence de la Renaissance et la recherche des Temps Modernes, la cuisine italienne a fait les délices d'autres pays et fut également une source d'inspiration. On raconte même qu'un Italien, arrivé en Chine bien avant Marco Polo, apprit aux Chinois la façon de faire les fameuses pâtes aux œufs. Catherine de Médicis introduisit la cuisine italienne à la Cour de France et développa la grande cuisine française. De nos jours ce n'est plus à une grande dame de Florence, mais à de nombreux restaurateurs, comme moi-même, que l'on doit la découverte de la cuisine italienne dans le monde entier.

Vers les années soixante, des centaines de restaurants italiens se sont ouverts dans de nombreux pays. L'un des soucis de leurs propriétaires fut d'éduquer la clientèle au goût des vrais produits italiens. Je dis « éduquer », car en Europe et surtout aux U.S.A., les gens avaient des idées fausses sur notre cuisine, croyant que les spaghetti, les boulettes de viande et les pizzas étaient le summum des produits italiens !

Les restaurateurs de Londres, Madrid, Berlin, Stockholm, Paris, New York, Beverly Hills et d'ailleurs ont habitué leurs clients à aimer notre cuisine. Beaucoup veulent savoir comment préparer les plats et quels ingrédients, quelles herbes ils nécessitent.

Le basilic, par exemple, constitue la base principale de nos sauces ; on peut le cultiver dans son jardin, ou même à l'intérieur d'un appartement en hiver.

Ce livre vous apportera plus qu'une simple connaissance de nos produits. Les recettes sont présentées selon leur région d'origine. Jusqu'en 1861 en effet, l'Italie était constituée d'un ensemble de principautés ; leur originalité en matière culinaire a nettement subsisté. Quelle merveilleuse possibilité pour une hôtesse, que d'annoncer à ses invités : « aujourd'hui nous déjeunerons comme en Toscane » ; bien sûr le repas sera accompagné d'un chianti ou d'un riserva ducale ruffino. De plus, vous évoquerez ainsi des régions que vous connaissez peut-être : la *Peperonata* de Milan, les *Gnocchi verdi* de Florence, ou le *Risotto veronese* de Vérone.

J'ai découvert dans cet ouvrage de nouvelles recettes que j'ai essayées dans mon restaurant new-yorkais ; je pense qu'elles auront une place sur ma carte.

Un tel livre peut vous rendre service pendant au moins vingt ans, et même plus ; vous trouverez toujours ses recettes attrayantes ; après tout il contient bien une recette, le *Pollo al mattone* (page 50), qui date de deux mille ans...

4

Adaptation française de Christine Colinet
Première édition 1978 by Octopus Books Limited
59 Grosve- nor Street, London W 1
© 1978 by Octopus Books Limited
Et pour la traduction française :
© 1979 by Gründ, Paris
ISBN 2-7000-0260-1
Dépôt légal : 2ᵉ trimestre 1979
Produced by Mandarin Publishers Limited,
22 a Westlands Road, Quarry Bay, Hong Kong
Photocomposition : Georges Frère, Tourcoing
Printed in Hong Kong

TABLE

Introduction

Un sentiment, l'amour, est l'ingrédient primordial de la cuisine italienne. La *mamma* a une influence prédominante ; c'est elle qui organise tout avec soin, fait le marché, prépare et cuit les plats destinés à cet instant essentiel de la vie : le repas, ce moment où toute la famille se retrouve autour de la table et échange les nouvelles, tout en dégustant la cuisine préparée.

Tous les Italiens, dans tous les coins du monde, parlent avec émotion de la cuisine familiale. La *mamma* traditionnelle ne se contente pas d'acheter ; elle va au marché pour faire son choix ; elle regarde, elle compare et finalement choisit ce qu'il y a de mieux et de plus avantageux : les poivrons les plus brillants, les poulets les plus dodus, les encornets les plus petits, les petits pois les plus frais. Elle choisit en connaissant l'importance de chaque ingrédient, car lorsqu'elle les associera avec d'autres aliments, ils participeront au goût, à la couleur, et à la texture de l'ensemble. Les plats italiens doivent beaucoup aux maîtresses de maison italiennes : simples, hauts en couleur, savoureux et originaux grâce à la touche personnelle qu'elles apporteront à chaque recette.

La cuisine régionale

Si vous pensez que la cuisine italienne est la même dans toute l'Italie, vous serez très surpris. La cuisine italienne est essentiellement régionale. Un regard rapide sur l'histoire de ce pays vous fera constater que jusqu'en 1861, l'Italie était composée d'une multitude d'états indépendants, possédant chacun leurs coutumes et leurs traditions.

La différence entre les régions du Nord, industriellement prospères, et celles du Sud, plus rurales et plus pauvres, est bien connue. Mais un voyage d'une région à l'autre révèle des différences essentielles. Quand il s'agit de cuisine, les différences proviennent de la production locale. La cuisine du Trentin, situé entre la Lombardie et le Piémont, est tellement influencée par les pays voisins qu'elle n'est pas vraiment italienne ; c'est pourquoi nous l'avons éliminée.

6

La maîtresse de maison italienne a, pour nourrir sa famille, toujours essayé de tirer un bon parti de ce dont elle disposait : invariablement des légumes et des herbes, des céréales, du fromage, des fruits et, dans les régions côtières, du poisson ; ajoutons la volaille, le gibier et la viande, si son budget le lui permet. Par exemple, en Ligurie, en Toscane et dans les régions du Sud, on cuisine exclusivement à l'huile d'olive, car l'olivier pousse là-bas en abondance ; dans le Nord, on fabrique avec le lait des troupeaux des fromages et on utilise le beurre pour la cuisine.

Dans une maison italienne

La journée commence avec un petit déjeuner frugal, *la prima colazione,* composé de café et de petits pains. Le repas principal, *il pranzo,* est souvent pris à midi, parfois le soir. Il comprend toujours au moins trois plats et parfois quatre ou cinq. Le repas d'une famille moyenne commence par *la minestra,* qui est l'élément le plus italien du repas. Le choix de *la minestra* est très grand : ce peut être une soupe ou un plat de pâtes, de riz ou de légumes. Les pâtes et le riz sont invariablement servis à part et non comme accompagnement d'une viande ou d'une volaille. *La minestra* est suivie d'un plat principal de viande, de poisson ou de volaille, souvent accompagné d'un légume et suivi d'une salade. Parfois les desserts viennent tout de suite après, mais le plus souvent on sert du fromage ou un fruit. Une petite tasse de café très fort termine le repas.

Un déjeuner léger, *la colazione,* ou un souper, *la cena,* commence invariablement par la soupe, puis on sert un plat d'œufs, de fromage ou de légume, et on termine par un fruit. Quand il fait chaud la soupe est servie tiède *(semi-freddo)* ou froide, mais elle est toujours un des éléments importants du repas ; on la sert dans de grandes assiettes creuses, de sorte que l'on puisse remuer le fromage râpé facilement.

Repas à l'extérieur

Si vous voulez faire comme les Italiens, au lieu d'aller dans les restaurants et les hôtels pour touristes, recherchez plutôt les *trattorias* des rues avoisinantes, spécialement celles fréquentées par les habitants de la ville. Prenez l'habitude de vous informer sur les plats, les fromages et les vins régionaux.

Ne vous laissez pas décourager par des produits aux consonances étranges. Le dialecte local peut donner un nom tout à fait différent à un plat que vous connaissez bien ; ceci arrive également aux Italiens. Ne craignez jamais de poser des questions ; quand ils ont un peu de temps libre, les Italiens aiment à parler cuisine. Ils vous indiqueront dans le moindre détail comment préparer leurs plats favoris, où vous trouverez les meilleurs ingrédients et les ustensiles adéquats. En Toscane, vous découvrirez les avantages d'un *mattone* (voir page 50) pour la cuisson du poulet, en Émilie-Romagne vous apprendrez à vous servir d'une machine à rouler les pâtes et à les couper *all'uovo,* en Ligurie à préparer le *pesto* (voir page 66), et en Campanie à juger de l'état de la mozzarella.

Vins italiens

L'Italie est le plus grand producteur de vin du monde. Bien que de grandes quantités soient consommées sur place, elle en exporte beaucoup ; vous pourrez constater que vous trouverez chez votre épicier la plupart des vins mentionnés dans ce chapitre.

La majorité des vins italiens est faite à partir de raisins locaux. Ils diffèrent les uns des autres par des caractéristiques provenant du sol, du climat, de la variété du raisin utilisé et de la méthode de vinification.

En 1963 a été votée une loi pour protéger les vins de cru bénéficiant d'une appellation contrôlée. Le *Denominazione di Origine Controllata* (D.O.C.) fut créé : seuls les vins produits dans un lieu déterminé peuvent être vendus sous le nom de ce lieu. Les lettres D.O.C. sur l'étiquette signifient que le vin correspond à une certaine qualité. Une autre dénomination désigne les vins de qualité inférieure et une autre (D.O.C.G.), les vins de très grand cru.

Si vous voyagez en Italie, il est préférable de boire les vins de la région que vous visitez ; souvent les vins en pichet se révèlent excellents.

Les vins locaux constituent un ingrédient naturel dans les plats régionaux. On utilise les vins blancs secs et les vins rouges pour les ragoûts de viande, de volaille et de poisson. Pour les viandes braisées ou en ragoût, le vin est ajouté après que la viande ait doré ; on le laisse parvenir ensuite rapidement à ébullition, jusqu'à ce qu'il ait presque disparu — une partie s'est évaporée et le reste a pénétré la viande ; cela la rendra tendre et la parfumera. Le marsala, ce vin riche de Sicile, est utilisé pour les desserts, mais donne aussi de bons résultats avec le poulet, le veau, le canard et le jambon. Pour la cuisine, il vaut mieux utiliser un marsala ni trop doux, ni trop sec ; c'est un vin qui se garde plusieurs mois, même si la bouteille est entamée.

Le vermouth blanc sec est très utilisé en cuisine et se garde aussi très bien une fois entamé. En l'utilisant en petites quantités, il peut remplacer le vin blanc dans de nombreuses recettes. On trouve aussi en Italie un grand nombre de liqueurs que l'on utilise souvent dans la cuisine : l'arum (liqueur d'orange), le strega (liqueur parfumée aux herbes et à l'orange) et le maraschino (marasquin).

Comment utiliser ce livre

Cette sélection de recettes régionales et traditionnelles est facile à suivre dans tous les coins du monde. Les proportions ont été calculées pour convenir à tous. Pour réussir une recette au point de vue du goût et de la texture, il est important d'utiliser les ingrédients appropriés ou bien, à défaut, des éléments similaires. Aussi bon soit-il, un gruyère râpé n'a rien de comparable avec le goût du parmesan ou du pecorino. D'autre part, les tomates en boîte et le concentré de tomate peuvent remplacer avantageusement des tomates fraîches quand elles ne sont pas très mûres.

Faites pousser des herbes comme l'origan, le basilic, la marjolaine, la menthe, le persil, car elles donnent un goût italien à toute la cuisine. Conservez-les en petites quantités et renouvelez souvent votre stock, si vous ne voulez pas qu'elles se dessèchent. Pour la cuisine italienne, il faut toujours avoir dans un placard des câpres, des anchois, du thon, des cœurs d'artichauts, des olives, des champignons, du riz et un assortiment de pâtes.

Souvenez-vous qu'il n'y a pas de règles rigides pour suivre une recette. La *mamma* ajoute toujours un peu de « quelque chose », en fonction des goûts de sa famille. Faites de même, goûtez, goûtez une nouvelle fois et laissez parler votre imagination.

Sicile
et Sardaigne

Notre voyage gastronomique débutera par les îles. Il y a un peu plus de deux mille ans les Siciliens ont appris les secrets de la cuisine grecque, cependant que les Sardes apprenaient ceux de la cuisine phénicienne. Depuis chacune s'enrichit de diverses influences, arabe, africaine et romaine, mais elles ont historiquement partagé la pauvreté et l'isolation de l'Italie du Sud. En ce qui concerne la population, le paysage, et la cuisine, ces deux îles sont totalement différentes l'une de l'autre.

La Sicile est un pays montagneux et volcanique, marqué par les civilisations grecques et romaines ; les Siciliens sont gais, vifs et passionnés. Comme ils vivent isolés, leur cuisine a pour base les produits locaux, composés d'une grande quantité de légumes, d'agrumes, d'autres fruits, de noix et de vin. Le manque de viande est compensé par une grande variété de poissons de qualité, pêchés le long des côtes : coquillages, sardines, mulets, thons, espadons. La cuisine sicilienne est généralement haute en couleur et a beaucoup de goût. Le pain et les pâtes sont les aliments de base et l'huile d'olive est utilisée dans toute la cuisine.

Les Siciliens sont très renommés pour leurs desserts, leurs pâtisseries et leurs glaces. La célèbre *cassata,* qui était à l'origine un gâteau très décoré que l'on servait les jours de fête, est maintenant devenue un dessert composé de glaces de différents parfums. La *cassata* et les *cannoli* (petits cylindres de pâte dorés et croustillants) sont farcis de *ricotta,* parfumés de zestes de fruits, de fruits confits, de noix de chocolat et de liqueur. C'est un Sicilien qui fit découvrir à l'Europe les glaces, les fruits siciliens et les sorbets. La Sicile produit d'excellents vins, comme le marsala qui est un ingrédient très agréable dans la cuisine.

La Sardaigne est une région plus plate et plus paisible que la Sicile, bien qu'elle soit assez rude ; elle vit de l'agriculture et de la pêche. Les Sardes, pour beaucoup, vivent isolés avec leur troupeau de moutons et de chèvres. La cuisine sarde est d'une grande simplicité. Traditionnellement on pratique le *furia furia :* une bête (chevreau, cochon de lait, ou une pièce de gibier) est cuite devant un feu de branches de genévrier et d'olivier.

Les femmes sardes confectionnent un pain spécial qui est considéré comme le symbole de l'unité familiale. Sa finesse et ses craquelures lui ont valu le nom de *carta da musica.* On trouve en Sardaigne les mêmes plats qu'en Italie continentale ; par contre elle a ses propres spécialités de poissons et de soupe de poisson. Il est parfois difficile de les préparer, car on ne trouve pas toujours chez nous les mêmes poissons qu'en Sardaigne. Le *bottarga* (ou *buttariga*) est un hors-d'œuvre composé d'œufs séchés de mulet. La Sardaigne, en matière de cuisine, garde un caractère très particulier.

CAPONATA

Hors-d'œuvre d'aubergines

Ce délicat mélange aigre-doux de légumes constitue un hors-d'œuvre inhabituel, que vous pouvez servir tel quel ou bien avec des œufs durs, du poisson froid ou du poulet. Le secret d'une bonne *caponata* consiste à faire cuire chaque légume séparément, ce qui permet à chacun de garder son goût propre. Ce plat se garde bien plusieurs jours au réfrigérateur.

500 g d'aubergines
Sel
4 branches de céleri
5 cuillères à soupe d'huile d'olive
Poivre
100 g d'oignons finement hachés
1 boîte de 400 g de tomates égouttées
1 cuillère à soupe de concentré de tomate

2-3 cuillères à soupe de vinaigre de vin
24 g de sucre
2 cuillères à soupe de câpres
12 petites olives vertes dénoyautées
1 cuillère à soupe de pignons

POUR 4 PERSONNES

Coupez les aubergines en dés de 1 cm, mettez-les dans une passoire, salez abondamment et laissez dégorger. Au bout de 30 minutes, rincez-les à l'eau froide et séchez-les dans un linge. Recouvrez le céleri d'eau, portez à ébullition et laissez frémir cinq minutes ; égouttez-le et coupez-le très fin.

Faites chauffer 3 cuillères à soupe d'huile d'olive dans une poêle épaisse et faites sauter les dés d'aubergine en remuant souvent, 10 minutes environ ; ils doivent être tendres et dorés. Salez et poivrez.

Faites chauffer le reste d'huile dans une casserole et faites frire doucement les oignons 5 minutes. Ajoutez le céleri et laissez encore cinq minutes. Passez les tomates au tamis, versez-les dans la casserole, ainsi que le concentré de tomate ; salez et poivrez. Laissez mijoter 10 minutes ; le céleri doit être cuit ; ajoutez 2 cuillères à soupe de vinaigre, le sucre, les câpres, les olives, les pignons et les aubergines. Mélangez bien et laissez mijoter quelques minutes.

Goûtez et rectifiez l'assaisonnement, puis ajoutez le reste de vinaigre. Mettez à refroidir au réfrigérateur.

Disposez dans le plat de service seul ou bien entouré de thon et d'œufs durs.

SPAGHETTI ALLA SIRACUSANA

Spaghetti à la syracusaine

Les Siciliens aiment mélanger les pâtes à l'aide de sauces parfumées et de différents légumes. Vous pouvez varier cette recette à l'infini en fonction des légumes dont vous disposez, en utilisant des courgettes à la place d'aubergines par exemple.

1 poivron vert
1 aubergine
1 boîte de tomates de 400 g
4 cuillères à soupe d'huile d'olive
2 gousses d'ail coupées fin
12 petites olives noires dénoyautées
1 cuillère à soupe de câpres
3 filets d'anchois coupés fin
1 cuillère à soupe de basilic frais ou de
    romarin
Poivre
Sel
350 g de spaghetti
50 g de pecorino ou de parmesan râpé

POUR 4 PERSONNES

Passez le poivron sous le gril en le retournant fréquemment ; la peau doit être carbonisée pour être retirée facilement. Coupez-le en deux, épépinez-le et passez-le sous l'eau. Coupez-le en dés.

Coupez l'aubergine en dés de 1 cm.

Caponata, Spaghetti alla siracusana

Égouttez les tomates et coupez-les grossièrement. Faites chauffer l'huile et l'ail doucement dans une casserole ; l'huile doit être bien parfumée. Retirez l'ail. Mettez les aubergines et faites-les dorer doucement 10 minutes en tournant sans arrêt. Ajoutez les tomates, les dés de poivron, les olives, les câpres, les anchois, les herbes, salez et poivrez à votre convenance. Remuez, couvrez et laissez mijoter pendant que les spaghetti cuisent.

Mettez les spaghetti dans une grande casserole d'eau bouillante salée (ils glisseront dans l'eau en ramollissant) et laissez-les cuire à gros bouillons 10 minutes ; ils doivent être *al dente* (cuits, mais croquants). Égouttez, disposez dans un plat de service chaud, ajoutez le fromage et la sauce. Mélangez légèrement et servez immédiatement.

TONNINO AL POMODORO ALLE SARDE

Thon à la sauce tomate

Un grand nombre de recettes sardes sont cuites en plein air. Ce plat typique de poisson peut l'être en plein air ou à l'intérieur et vous pouvez remplacer le thon par n'importe quel poisson à chair ferme.

4 darnes de thon de 2,5 cm d'épaisseur
Sel
Poivre
Farine pour saupoudrer
3 cuillères à soupe d'huile d'olive
1 petit oignon haché fin
1 gousse d'ail écrasée
750 g de tomates pelées
2 cuillères à soupe de persil haché
1 feuille de laurier
4 filets d'anchois réduits en purée
Quelques olives noires

POUR 4 PERSONNES

Salez et poivrez le thon ; saupoudrez-le de farine. Faites chauffer 2 cuillères à soupe d'huile dans une grande poêle profonde et faites dorer rapidement le poisson des deux côtés ; puis mettez-le dans une assiette.

Versez le reste d'huile dans la poêle et faites revenir doucement l'oignon et l'ail 5 minutes. Pendant ce temps passez les tomates au tamis ou au mixer électrique. Mettez le persil, le laurier et les anchois dans la poêle et mélangez bien. Ajoutez les tomates, portez à ébullition et laissez bouillir jusqu'à ce que le mélange forme une sauce

Tonnino al pomodoro alle sarde

consistante. Poivrez et remettez le poisson ; laissez mijoter doucement 15 minutes, en retournant une fois les darnes en cours de cuisson.

Coupez le feu, ajoutez les olives et laissez 5 minutes avant de servir.

POMODORI AL PANE

Tomates farcies

Ce plat accompagne merveilleusement bien le poulet rôti, l'agneau ou le porc. Vous pouvez ajouter à la farce 4 filets d'anchois coupés fin et 1 cuillère à soupe de câpres ; de cette façon, le plat se suffit à lui-même.

4 grosses tomates
Sel
Poivre
50 g de chapelure fine
1 petit oignon émincé
2 gousses d'ail écrasées
50 g de champignons émincés
1 cuillère à café de sucre
1 cuillère à soupe de persil haché
Quelques feuilles de basilic coupé fin ou
* 1 grosse pincée de basilic sec*
2 cuillères à soupe d'huile d'olive
4 olives noires

POUR 4 PERSONNES

Coupez les tomates en deux et retirez l'intérieur. Salez et poivrez ; retournez-les sur une assiette pour qu'elles s'égouttent pendant que vous préparez la farce.

Hachez l'intérieur des tomates et mélangez-le dans un saladier avec la chapelure, l'oignon, l'ail, les champignons, le sucre, le persil et le basilic. Salez et poivrez bien. Mélangez soigneusement.

Tonno sott' olio con cipolle

Farcissez les tomates de ce mélange et disposez-les dans un plat creux allant au four, bien huilé ; versez un peu d'huile d'olive sur chacune. Faites cuire environ 30 minutes dans un four préchauffé à 180° ; elles doivent être cuites, mais encore fermes. Servez chaud, décorées avec des olives noires.

TONNO SOTT' OLIO CON CIPOLLE

Salade de thon

C'est un hors-d'œuvre simple et coloré.

1 boîte de 200 g de thon à l'huile
Poivre
2 cuillères à café de câpres égouttées
2 tomates coupées en rondelles fines
1 petit oignon doux coupé en tranches
* fines*
1 filet de jus de citron

POUR 3 PERSONNES

Égouttez le thon en mettant de côté 1 cuillère à soupe d'huile. Émiettez-le à l'aide d'une fourchette et répartissez-le au centre d'une assiette creuse par personne.

Saupoudrez de poivre et de câpres. Disposez tout autour des tranches d'oignon et de tomate. Mélangez le jus de citron et l'huile, puis versez ce mélange sur chaque portion.

SARDE RIPIENE ALLA PALERMITANA

Sardines farcies de Palerme

Pour faire ce plat vous pouvez aussi bien utiliser des sardines que des harengs ou des maquereaux.

12 grosses sardines fraîches
6 filets d'anchois coupés fin
50 g de pignons
50 g de raisins de Smyrne
1 grosse pincée de sucre
1 pincée de noix de muscade
1 cuillère à soupe de persil haché
Poivre
Huile d'olive
12 feuilles de laurier
50 g de chapelure
1 jus de citron
POUR DÉCORER :
Branches de persil
Tranches de citron

POUR 4 PERSONNES

Coupez la tête des sardines ; ouvrez le ventre, videz-les et enlevez l'arête centrale. Passez-les sous l'eau froide, puis essuyez-les. Mélangez les filets d'anchois, les pignons, les raisins de Smyrne, le sucre, la noix de muscade, le persil, le poivre selon votre goût et 1 cuillère à soupe d'huile d'olive. Farcissez chaque sardine de ce mélange, puis disposez-les dans un plat allant au four, bien huilé.

Disposez une feuille de laurier entre chacune d'elle, puis saupoudrez de chapelure et versez un peu d'huile. Faites cuire 30 minutes à four moyen (190°) ; les sardines doivent être cuites et légèrement dorées.

Versez le jus de citron et servez dans le plat de cuisson garni de branches de persil et de tranches de citron.

Pomodori al pane, Coniglio con olive verdi (page 15)

13

FARSUMAGRU

Viande roulée et farcie

Bien qu'il prenne un peu de temps de préparation, ce plat est intéressant, car il est savoureux et bon marché. Vous pourrez utiliser les restes en salade.

500 g de tende de tranche, coupée en une tranche de 1 cm d'épaisseur
Sel
Poivre
50 g de mie de pain sans croûte
Lait pour faire tremper la mie
250 g d'échine de porc hachée
250 g de bœuf à braiser haché
2 œufs légèrement battus
50 g de parmesan ou de pecorino râpé
1 cuillère à soupe de persil haché
2 œufs durs coupés grossièrement
50 g de jambon cuit coupé grossièrement
50 g de caciocavallo ou de provolone coupé grossièrement
2 cuillères à soupe d'huile d'olive
1 petit oignon coupé en tranches fines
20 cl de vin rouge
1 cuillère à soupe de concentré de tomate
4 cuillères à soupe d'eau chaude

POUR 8 PERSONNES

Étalez la tranche de viande sur un plan de travail et aplatissez-la avec un rouleau à pâtisserie. Arrêtez-vous quand elle aura 23 × 25 cm et 5 mm d'épaisseur. Salez et poivrez.

Faites tremper la mie de pain dans un peu de lait ; quand elle est bien imbibée, pressez-la et battez-la à la fourchette. Ajoutez le porc, le bœuf, les œufs battus, le parmesan ou le pecorino et le persil ; salez et poivrez selon votre goût. Vous devez obtenir un mélange homogène. Étalez ce mélange sur la viande en laissant 2,5 cm sur les côtés.

Mélangez les œufs durs, le jambon, le caciocavallo ou le provolone et disposez le tout au centre de la viande. Roulez-la très serré en commençant par le petit côté ; vous devez obtenir une sorte de saucisse que vous attacherez solidement avec de la ficelle.

Dans une cocotte faites revenir doucement l'oignon avec un peu d'huile. Faites dorer la viande de tous côtés. Ajoutez le vin, le concentré de tomate

délayé avec l'eau chaude et un peu de sel et de poivre. Couvrez et laissez mijoter 1 1/2 heure à 2 heures en retournant la viande une fois en cours de cuisson et en rajoutant un peu d'eau, si le jus s'évapore trop.

Posez la viande sur une planche à découper et enlevez la ficelle. Dégraissez la sauce, puis portez-la à ébullition pour qu'elle épaississe. Découpez la viande en tranches fines, disposez-la sur un plat de service chaud et versez la sauce dessus.

POLPETTE ALLA CASALINGA

Croquettes de viande

Dans toute l'Italie on trouve ces petites boulettes de viande légères, bien dorées et bien assaisonnées ; elles requièrent peu de viande et permettent de nourrir une grande famille. En Sicile on les sert souvent avec de la sauce tomate.

Sauce tomate (voir page 28)
50 g de mie de pain
Lait pour faire tremper la mie de pain
350 g de bœuf à braiser ou à pot-au-feu, pas trop gras
2 gousses d'ail
2 cuillères à soupe de persil
2 fines lanières de la peau d'un citron
150 g de chair à saucisse
2 œufs
30 g de parmesan râpé
Sel
Poivre
Farine
Huile à friture

POUR 4 A 5 PERSONNES

Préparez la sauce tomate. Émiettez la mie de pain dans un bol et faites-la tremper dans du lait environ 10 minutes ; elle doit être ramollie. Pressez-la.

Retirez la peau et dégraissez le morceau de bœuf, puis coupez-le en morceaux. Passez au mixer le bœuf, le pain, l'ail, le persil et le zeste de citron. Ajoutez la chair à saucisse au mélange obtenu, puis incorporez les œufs, le fromage, le sel et le poivre. Vous devez obtenir une pâte homogène.

Saupoudrez vos mains de farine, puis formez des boulettes de 4 cm de diamètre. Disposez-les sur un plateau, recouvrez d'une feuille de polyéthylène et mettez le tout 1 heure au réfrigérateur.

Faites chauffer dans une poêle environ 4 cuillères à soupe d'huile. Faites frire les boulettes par cinq ou six, environ 3 minutes de chaque côté ; elles doivent être dorées et leur chair ne doit plus être rose à l'intérieur. Enlevez-les et faites-les égoutter sur du papier absorbant. Si le niveau d'huile baisse, rajoutez-en un peu.

Pendant que les boulettes cuisent, faire réchauffer la sauce tomate en la diluant avec un peu d'eau, afin qu'elle ne soit pas trop épaisse. Vous pouvez laisser mijoter dedans les boulettes avant de les servir, ou bien servir les boulettes et la sauce séparément.

CONIGLIO CON OLIVE VERDI

Lapin aux olives vertes

Les olives, les herbes et les câpres donnent un très bon goût au lapin pour cette recette typiquement sicilienne.

1 lapin en morceaux
1 cuillère à soupe d'huile d'olive
100 g de poitrine demi-sel coupée en dés
230 g d'oignons coupés en tranches fines
2 branches de céleri coupées fin
1 cuillère à soupe de farine
45 cl de bouillon de bœuf ou d'eau
1 feuille de laurier
1 petite branche de romarin
Sel
Poivre
50 g d'olives vertes dénoyautées

POUR 4 PERSONNES

Faites chauffer l'huile dans une cocotte ; faites revenir la poitrine, les oignons et le céleri en remuant sans arrêt. Ajoutez les morceaux de lapin et laissez bien dorer.

Saupoudrez de farine et remuez. Ajoutez le bouillon de bœuf chaud ou l'eau, le laurier, le romarin. Salez et poivrez à votre goût. Portez à ébullition, couvrez et laissez mijoter de 45 minutes à 1 heure ; les morceaux de lapin doivent être tendres. Ajoutez les olives et quelques câpres si vous le souhaitez, puis laissez mijoter encore 10 minutes.

AGNELLO IN UMIDO ALLA SARDA

Gigot d'agneau sarde

Les bergers qui gardent les troupeaux cuisinent parfois dehors. Cette façon de cuire l'agneau convient parfaitement à la cuisine de camping ou à un débutant.

4 grosses gousses d'ail
1 petit gigot d'agneau

Farsumagru, Polpette alla casalinga

Branches de romarin
Sel
Poivre
3 cuillères à soupe d'huile d'olive
1 petit oignon coupé fin
1 kg de tomates coupées fin
4 cuillères à soupe d'eau

POUR 6 A 8 PERSONNES

Coupez les gousses d'ail en morceaux très petits et séparez le romarin en petites branches. Roulez le gigot dans le sel et le poivre. Faites des incisions sur le gigot à l'aide d'un couteau pointu et glissez dans chacune d'elle un morceau d'ail et du romarin.

Faites chauffer l'huile dans une cocotte et faites dorer le gigot en le tournant souvent. Baissez le feu, ajoutez l'oignon et laissez quelques minutes. Ajoutez les tomates et l'eau, puis portez à ébullition et assaisonnez à votre goût. Couvrez et laissez mijoter doucement 20 minutes par livre ; l'agneau doit être tendre.

Mettez le gigot sur un plat de service chaud. Si c'est nécessaire, dégraissez la sauce, puis portez rapidement à ébullition jusqu'à ce que la sauce devienne consistante. Vérifiez l'assaisonnement. Servez avec la viande. Vous pouvez utiliser le reste de cette sauce pour accompagner un plat de pâtes.

CASSATA ALLA SICILIANA

Cassata sicilienne au chocolat

La fameuse *cassata* fut d'abord un gâteau de cérémonie avant de devenir cette glace si connue de nos jours. Il y a plusieurs versions de ce gâteau, mais ils sont tous faits avec du *pan di Spagna* (génoise) ayant une forme ovale, ronde ou carrée.

POUR LA GÉNOISE :
4 œufs, blancs et jaunes séparés
150 g de sucre en poudre
Le zeste râpé d'un demi-citron
80 g de farine
25 g de maïzena
2 cuillères à soupe d'eau chaude
GARNITURE ET GLAÇAGE :
1 l de ricotta ou de fromage blanc frais
    non lissé
180 g de sucre en poudre
6 cuillères à soupe de liqueur parfumée
    à l'orange
60 g de chocolat amer râpé fin
80 g d'écorces confites hâchées très fin
DÉCORATION :
Fruits confits (facultatif)
Écorces confites coupées en lanières
Chocolat râpé fin

POUR 8 PERSONNES

Mettez les jaunes d'œufs, le sucre et le zeste de citron dans une jatte et remuez jusqu'à ce qu'ils forment un mélange de couleur claire. Incorporez peu à peu la farine et la maïzena, puis ajoutez l'eau. Battez les blancs d'œufs en neige, sans qu'ils soient trop durs et incorporez-les délicatement au mélange.

Versez cette préparation dans un moule profond beurré et fariné. Faites cuire 45 à 50 minutes au centre d'un four chaud (180°). Le gâteau doit être ferme au toucher. Démoulez et laissez refroidir sur une grille.

Pour préparer la garniture, passez le fromage au tamis, puis mélangez-le dans une jatte avec le sucre et 2 cuillères à soupe de liqueur ; battez jusqu'à ce que vous obteniez un mélange homogène et léger. Mettez-en la moitié à refroidir au réfrigérateur. Il servira au glaçage. Ajoutez à l'autre moitié le chocolat et les écorces.

Coupez la génoise horizontalement en trois morceaux. Disposez la première tranche sur le plat de service, arrosez-la de liqueur et étalez dessus une couche du mélange contenant le chocolat. Couvrez de la deuxième tranche, que vous aspergez également de liqueur et sur laquelle vous étalez le reste du mélange au chocolat. Posez dessus la dernière tranche. Pressez bien le tout ensemble et mettez-le au réfrigérateur.

Une heure avant de servir, recouvrez le gâteau avec le reste de garniture. Décorez avec les écorces confites et mettez à glacer au réfrigérateur, après avoir ajouté le chocolat râpé.

ZABAGLIONE

Crème au marsala

C'est le dessert italien le plus connu. Il est très facile et très rapide à faire, il doit obligatoirement être fait au dernier moment.

5 jaunes d'œufs et 1 œuf entier
2 cuillères à soupe de sucre en poudre
1/2 verre de marsala
POUR SERVIR :
Boudoirs

POUR 4 PERSONNES

Mettez les jaunes d'œufs, l'œuf entier et le sucre dans une jatte au bain-marie. Battez le mélange avec un fouet à main ou électrique, jusqu'à ce qu'il devienne jaune pâle et qu'il soit mousseux.

Incorporez peu à peu le marsala et continuez à fouetter la crème jusqu'à ce qu'elle épaississe au point de napper une cuillère ; cela peut durer 10 minutes. Retirez du feu et servez la crème dans des coupelles individuelles. Accompagnez-la de boudoirs.

MANTECATO DI PESCHE

Sorbet à la pêche

Il s'agit d'une spécialité sicilienne. Vous pouvez aussi préparer ce sorbet avec du melon en remplaçant les pêches par 750 g de melon pelé.

100 g de sucre
15 cl d'eau
4 grosses pêches
1 jus de citron

POUR 4 PERSONNES

Mettez l'eau et le sucre dans une petite casserole et laissez chauffer dou-

GRANITA DI CAFFÈ

Sorbet au café

C'est une glace très rafraîchissante pendant les jours de grande chaleur, mais qui nécessite du café de très bonne qualité.

150 g de café moulu
80 g de sucre en poudre
1 l d'eau bouillante
POUR SERVIR :
Crème fouettée (facultatif)
Café moulu très fin (facultatif)

POUR 4 A 6 PERSONNES

Mettez le café et le sucre dans une jatte chaude en terre et versez dessus l'eau que vous aurez fait bouillir. Couvrez, mettez la jatte dans une casserole d'eau bouillante et laissez infuser de 20 à 30 minutes. Laissez refroidir.

Quand l'infusion est froide, passez-la à travers un filtre en papier. Versez-la dans un bac à glace et laissez au freezer jusqu'à ce que cela forme une masse glacée granuleuse.

Servez dans des grands verres, soit seul, soit avec un peu de crème fouettée et une pincée de café moulu.

Mantecato di pesche, Granita di caffè (à gauche)
Cassata alla siciliana (ci-dessous)

cement jusqu'à ce que le sucre soit dissous, puis portez rapidement à ébullition et laissez cuire 5 minutes. Laissez refroidir.

Plongez 1 minute les pêches dans de l'eau bouillante ; pelez-les et retirez les noyaux. Passez-les aussitôt au mixer électrique ou bien au tamis. Ajoutez le jus de citron et mélangez bien ; cela empêchera les pêches de noircir. Versez le sirop froid ; quand il est bien incorporé, mettez ce mélange au freezer jusqu'à ce qu'il ait durci.

Quand il est glacé en partie, versez-le dans une jatte et fouettez-le vigoureusement quelques minutes, puis remettez-le au freezer et laissez-le durcir à nouveau.

Une heure avant de le servir, mettez-le dans le réfrigérateur, afin que la glace ne soit pas trop dure. Servez dans des coupes individuelles.

Pouilles, Basilicate et Calabre

Ces trois régions forment le pied de la botte italienne : les Pouilles étant le talon, le Basilicate la cambrure et la Calabre la pointe.

Les Pouilles, limitées par l'Adriatique d'un côté et le golfe de Tarente de l'autre, ont un climat uniforme ; leurs grandes étendues de terres arables produisent des fruits et des légumes en abondance. Les habitants des Pouilles passent pour les plus gros consommateurs de pâtes d'Italie et ils disent avoir inventé plusieurs formes de pâtes, dont les *ricchietelle.* La sauce qui accompagne ces « petites oreilles » reste à l'intérieur de la partie creuse ; ceci en fait un plat plus relevé. Les *turcinielli* sont des macaroni ayant la forme d'une spirale. Les pâtes sont toujours servies avec une sauce tomate ou à la viande ; on ajoute souvent des légumes et du fromage râpé. Dans les Pouilles on met des *calzoni,* pâtes farcies d'oignons, d'anchois et d'olives sur la pizza, tandis que dans la région de Lecce, elle est recouverte de champignons cuits et de tomates. Tout le long du littoral on trouve du poisson à profusion ; Tarente est célèbre pour ses huîtres et ses moules. La soupe de poisson, composée de diverses sortes de poissons, de coquillages et d'épices est la meilleure d'Italie.

Le Basilicate est une région très montagneuse ; sa cuisine est frugale. Les moutons et les porcs sont très nombreux. L'agneau a souvent un goût d'herbes ; ces herbes sont un élément très important dans la cuisine locale. La charcuterie est très souvent fumée et conservée comme jadis. Le gibier et le poulet sont appréciés ; dans les montagnes, la soupe au chou et au porc est un plat d'hiver reconstituant. On utilise le gingembre dans de nombreux plats, car il est réputé pour donner soif, sans aucun doute soif des vins rudes produits sur les montagnes. Les produits laitiers permettent de fabriquer de nombreux fromages qui pour la plupart entrent dans la composition des plats de pâtes.

Avec son littoral étendu, la Calabre est célèbre pour ses soupes de poisson et le *fritto misto.* On trouve du thon frais, des sardines, de la morue, des clams et des anchois. Les légumes poussent à profusion ; le climat est surtout favorable aux aubergines, aux poivrons et aux champignons ; de fait, un nombre incroyable de recettes accommode ces légumes de façons différentes. Le plat de résistance des repas familiaux est une soupe de légumes épaissie avec des pâtes. La viande n'est pas d'une qualité exceptionnelle, mais les cuisiniers préparent des plats inhabituels à base de veau, d'agneau, de chevreau, de sanglier, de lapin, de poulet ou de pintade. Les restes sont accommodés avec de la sauce tomate ; les baies de genièvre sont utilisées dans de nombreux plats. Les pâtes ont un rôle très important dans la nourriture ; elles ont donné lieu à des formes très variées qui portent des noms évocateurs comme « oreille », « ange », « cheveux », « boucle », par exemple.

Dans tout le Sud on trouve de petits gâteaux et des sucreries ; de nombreuses spécialités sont faites à partir de miel, de noix et d'épices.

FUNGHI RIPIENI

Champignons farcis

La tête des gros champignons farcis constitue un excellent hors-d'œuvre ou bien un délicieux légume que vous servirez avec du poulet, du mouton ou du poisson.

12 très gros champignons de Paris
Huile d'olive
1 petit oignon haché fin
1 gousse d'ail écrasée
40 g de chapelure
2 cuillères à soupe de persil haché
50 g de jambon cuit haché
2 cuillères à soupe de parmesan râpé
Sel
Poivre
Persil haché fin pour décorer

POUR 4 PERSONNES

Coupez les queues des champignons et hachez-les.

Faites chauffer 3 cuillères à soupe d'huile d'olive dans une casserole et faites revenir doucement l'oignon et l'ail 5 minutes. Ajoutez la chapelure et faites-la dorer 2 à 3 minutes. Ajoutez le persil, les queues de champignons hachées, le jambon, le fromage, salez, poivrez et mélangez bien.

Huilez légèrement un plat à feu et disposez les têtes de champignons, l'extérieur sur le fond du plat, sur un seul rang. Versez un peu de farce sur chacune et arrosez d'un peu d'huile d'olive.

Couvrez d'une feuille de papier sulfurisé beurrée et faites cuire 20 à 30 minutes à four chaud (190°). Saupoudrez de persil haché pour décorer.

PEPERONI CON TONNO E CAPPERI

Poivrons au thon et aux câpres

Choisissez de préférence des poivrons rouges et jaunes, ceci vous donnera un hors-d'œuvre très coloré ; si vous n'en trouvez pas, les poivrons verts conviendront parfaitement.

6 gros poivrons
4 cuillères à soupe d'huile d'olive
1 jus de citron
1 gousse d'ail écrasée (facultatif)
Sel
Poivre
1 boîte de 200 g de thon à l'huile égoutté
1-2 cuillères à soupe de câpres égouttées
Branches de persil pour décorer

POUR 6 PERSONNES

Passez les poivrons sous le gril en les retournant fréquemment ; la peau doit être carbonisée pour être retirée facilement. Pelez-les, puis coupez-les en trois lanières ; jetez la queue et les pépins. Passez-les sous l'eau froide, afin qu'il ne reste ni peau, ni pépins.

Mettez les lanières dans une jatte avec l'huile, le jus de citron, l'ail, et un peu de sel et de poivre. Laissez mariner 30 minutes en remuant de temps en temps. Égouttez et gardez la marinade. Étalez les lanières.

Émiettez le thon et mélangez les câpres. Placez une bonne cuillère de ce mélange sur les lanières de poivron, puis roulez-les. Disposez-les dans un plat de service creux en alternant la couleur des poivrons. Versez dessus la marinade et décorez de persil.

Funghi ripieni

INSALATA DI POMODORI

Salade de tomates

Les Italiens demandent à une salade de tomates d'être croquante et d'être parfumée. Si vous utilisez des tomates à peine mûres, elles seront croquantes, et beaucoup d'herbes leur donneront un merveilleux parfum.

6 grosses tomates bien fermes
1 gousse d'ail écrasée
3 cuillères à soupe d'huile d'olive
Sel
Poivre
POUR GARNIR :
Feuilles de basilic frais, coupées en morceaux, ou du persil et de la ciboulette

POUR 4 PERSONNES

Lavez, égouttez les tomates ; mettez-les au réfrigérateur jusqu'à ce que vous en ayez besoin. Coupez-les en rondelles fines et disposez-les sur un plat légèrement creux.

Mélangez l'ail, l'huile et du sel et du poivre en quantité, puis versez sur les tomates. Parsemez la garniture et servez.

INSALATA DI CAVOLFIORE

Salade de chou-fleur

Cette délicieuse salade est un hors-d'œuvre coloré, mais peut aussi accompagner agréablement un plat de charcuterie.

Peperoni con tonno e capperi, Insalata di cavolfiore

1 gros chou-fleur
Sel
Le jus de 1/2 citron ou 1 1/2 cuillère à soupe de vinaigre de vin
Poivre noir
4-5 cuillères à soupe d'huile d'olive
6 filets d'anchois coupés fin
1-2 cuillères à soupe de câpres égouttées
1 cuillère à soupe de persil haché
50 g d'olives noires

POUR 4 PERSONNES

Retirez les feuilles vertes et les grosses tiges du chou-fleur, puis séparez les bouquets. Plongez-le dans l'eau bouillante salée et laissez-le jusqu'à ce qu'il soit cuit, mais encore un peu ferme. Égouttez-le, passez-le sous l'eau froide et égouttez-le à nouveau.

Dans un saladier, mélangez un peu de sel, un peu de poivre, le jus de citron ou le vinaigre et l'huile. Mettez le chou-fleur et remuez délicatement. Saupoudrez les petits morceaux d'anchois, les câpres et le persil, puis disposez les olives tout autour.

COZZE GRATINATE

Moules farcies

Vous pourrez déguster cet excellent hors-d'œuvre sur toutes les côtes italiennes, mais c'est à Tarente qu'il est le plus réputé à cause de la qualité des moules. Vous pouvez servir ce plat comme une entrée chaude ou comme un plat de poisson principal.

2,5 l de moules
40 g de mie de pain
2 grosses gousses d'ail coupées très fin
30 g de persil haché
4 cuillères à soupe d'huile d'olive
Poivre

POUR 4 PERSONNES

Grattez soigneusement les moules, afin qu'elles soient débarrassées des coquillages et tendons ; lavez-les plusieurs fois à l'eau froide.

Mettez-les dans une cocotte, couvrez et mettez à feu chaud 5 à 6 minutes en remuant fréquemment la cocotte ; les moules doivent s'ouvrir. Jetez celles qui restent fermées. Retirez-les du feu, ouvrez-les complètement et retirez la coquille supérieure. Disposez les moules dans leur coquille restante dans un plat à gratin ou dans des ramequins individuels.

Mélangez rapidement la mie de pain, l'ail, le persil et un peu de poivre. Répartissez ce mélange sur les moules. Versez un peu d'huile et faites cuire 5 minutes à four très chaud (230°) ; la mie de pain doit être dorée. Faites attention à ce que les moules ne soient pas trop cuites. Vous pouvez aussi les passer sous le gril.

MELANZANE AL FUNGHETTO

Aubergines frites

Ce plat très simple accompagnera bien une viande ou du poulet.

2 aubergines moyennes
Sel
6 cuillères à soupe d'huile d'olive
2 gousses d'ail coupées fin
Poivre
2 cuillères à soupe de persil haché

POUR 3 A 4 PERSONNES

Essuyez les aubergines, enlevez la queue, mais ne les pelez pas. Coupez-les en dés de 1 cm, mettez-les dans une passoire ; saupoudrez de sel et laissez-les dégorger 1 heure. Essuyez-les dans du papier absorbant.

Faites chauffer l'huile dans une grande poêle ; mettez l'ail et les aubergines dedans. Laissez-les dorer doucement de 15 à 20 minutes en remuant de temps à autre ; les aubergines doivent être tendres ; elles auront bu l'huile.

Poivrez, saupoudrez de persil et servez chaud.

ZITA ALLA CALABRESE

Macaroni à la calabraise

Ce plantureux plat de pâtes est très populaire dans les régions méridionales de l'Italie. Les *zita* sont des petits macaroni droits ou incurvés ; vous pouvez utiliser d'autres pâtes tubulaires que vous couperez en petits morceaux. Si vous ne trouvez pas de caciocavallo, utilisez du provolone.

3 cuillères à soupe d'huile d'olive
2 gousses d'ail écrasées
1 oignon moyen haché
1 petit piment épépiné et coupé fin
4 tranches de lard fumé coupées en petits morceaux
1 boîte de tomates (400 g)
Sel
230 g de zita
50 g de caciocavallo râpé

POUR 3 A 4 PERSONNES

Faites chauffer 2 cuillères à soupe d'huile d'olive dans une casserole et faites revenir doucement l'ail, l'oignon, le piment et le lard environ 10 minutes, en tournant de temps à autre. Ajoutez les tomates et leur jus ; salez, puis portez à ébullition. Si c'est nécessaire, séparez les tomates avec une cuillère en bois. Couvrez et laissez mijoter 20 minutes.

Faites cuire les pâtes dans une grande casserole d'eau bouillante salée de 8 à 10 minutes ; elles doivent être cuites, mais encore fermes. Versez le reste d'huile dans un plat de service chaud et disposez en couches alternées les pâtes, de la sauce et du fromage ; terminez par une couche de fromage.

Servez immédiatement, ou bien couvrez pour laisser les parfums se mélanger jusqu'au moment de servir.

SEDANI AL FORNO

Céleri au lard et aux tomates

Le céleri met beaucoup de temps à devenir tendre quand on le cuit au four ; faites par conséquent cuire ce plat délicieux aussi longtemps que si vous le faisiez cuire en cocotte. Une fois cuit, il se réchauffe facilement.

2 pieds de céleri moyen
Le jus de 1/2 citron
Sel
5 cuillères à soupe d'huile d'olive
1 oignon moyen coupé en rondelles
4 tranches de lard coupées en petits morceaux
Poivre
1 boîte de tomates (400 g), coupées fin
Persil haché pour garnir

POUR 4 PERSONNES

Épluchez le céleri, séparez les branches et éliminez celles qui sont trop dures. Lavez-les et coupez-les en morceaux de 7 cm de long. Mettez-les dans une casserole et couvrez d'eau froide. Ajoutez le jus de citron et 1/2 cuillère à café de sel. Portez à ébullition et laissez mijoter 15 minutes, puis égouttez.

Faites chauffer 3 cuillères à soupe d'huile d'olive dans une grande cocotte et faites revenir 5 minutes l'oignon et la moitié du lard. Ajoutez le céleri égoutté, salez, poivrez, remuez et laissez 3 à 4 minutes.

Ajoutez le reste du lard, puis les tomates et leur jus, et enfin le reste d'huile d'olive. Couvrez et laissez cuire 1 heure à 1 1/2 heure à four chaud (180°) ; le céleri doit être tendre. Saupoudrez de persil.

Sedani al forno, cozze gratinate

SALSA DI CARNE

Sauce à la viande

Si vous avez des restes de viande, utilisez-les pour faire une sauce à la viande qui donnera un goût délicieux à un plat de pâtes ou de *gnocchi*. Vous pouvez remplacer la moitié du bouillon par du vin rouge, ou bien vous pouvez aussi ajouter des champignons.

30 g de beurre
100 g d'oignons hachés fin
100 g de carottes hachées fin
1 branche de céleri haché fin
200 g de bœuf haché
200 g de porc maigre haché
3 cuillères à soupe d'huile d'olive
50 cl de bouillon de bœuf
1 cuillère à soupe de concentré de tomate
Sel
Poivre

Triglie alla calabrese

POUR 6 PERSONNES

Faites fondre le beurre dans une poêle et faites cuire doucement les oignons, les carottes et le céleri 10 minutes environ en remuant souvent. Quand ce mélange commence à dorer, mettez-le dans une casserole à fond épais.

Faites chauffer l'huile d'olive dans la poêle et faites dorer à feu doux le bœuf et le porc haché, sans cesser de remuer, afin que la viande n'attache pas. Versez la valeur de 1/2 verre de bouillon, augmentez le feu et laissez cuire jusqu'à ce que le liquide soit évaporé. Versez la viande dans la casserole contenant les légumes, ajoutez le reste du bouillon et le concentré de tomate. Portez à ébullition, couvrez et laissez mijoter 45 minutes en remuant de temps à autre. La sauce doit réduire, mais ne doit pas être trop épaisse. Salez et poivrez à votre goût et servez avec des pâtes.

TRIGLIE ALLA CALABRESE

Rougets à la calabraise

4 rougets d'environ 220 g chacun
Sel
2 cuillères à soupe d'huile d'olive
1 cuillère à soupe de marjolaine fraîche hachée, ou 1/2 cuillère à café de marjolaine sèche
40 g de beurre
2 cuillères à soupe de câpres égouttées
12 olives noires coupées en rondelles
La peau de 1/2 citron coupée en lanières fines
1 cuillère à soupe de persil haché

POUR 4 PERSONNES

Demandez à votre poissonnier de vider et de nettoyer les poissons sans enlever le foie et la tête. Passez le poisson sous l'eau, épongez-le dans du papier absorbant et saupoudrez l'intérieur de sel.

Faites chauffer l'huile et la marjolaine dans une grande poêle à frire et faites revenir les rougets à feu moyen 6 à 8 minutes de chaque côté.

Pendant ce temps, faites fondre le beurre dans une casserole ; quand il devient noisette, retirez-le du feu et ajoutez les câpres, les olives, le zeste de citron et le persil.

Disposez avec précaution les rougets sur le plat de service chaud et versez la sauce au-dessus.

Pollo con olive

POLLO CON OLIVE

Poulet rôti aux olives

Cette façon de cuire tous les ingrédients en même temps donne un plat savoureux. Vous trouverez ce plat dans toute l'Italie sous différents noms et avec des variations nombreuses, comme l'addition de poivrons, de champignons, de vin rouge ou de filets d'anchois.

1 poulet de 2 kg coupé en 6 portions.
Farine
3 cuillères à soupe d'huile d'olive
1 gros oignon haché
1-2 gousses d'ail écrasées
1 feuille de laurier
15 cl de vin blanc sec
1 boîte (400 g) de tomates pelées
1 cuillère à soupe de concentré de tomate
12 olives noires
Poivre
Sel
Persil pour décorer

POUR 6 PERSONNES

Passez les morceaux de poulet dans la farine. Faites chauffer l'huile dans une cocotte et faites dorer les morceaux de poulet ; retirez-les et tenez-les au chaud.
Faites revenir 5 minutes les oignons dans la cocotte, ajoutez l'ail, la feuille de laurier ; laissez 1 minute, puis versez le vin et laissez mijoter 2 minutes ; ajoutez les tomates et leur jus, puis le concentré de tomate. Portez à ébullition en coupant les tomates si elles sont entières, remettez les morceaux de poulet et ajoutez les olives. Couvrez et

laissez mijoter 45 minutes en remuant de temps à autre ; le poulet doit être tendre.
Mettez les morceaux de poulet sur un plat de service chaud, portez rapidement la sauce à ébullition, afin qu'elle épaississe. Enlevez la feuille de laurier, rectifiez l'assaisonnement et versez la sauce sur le poulet. Au moment de servir saupoudrez un peu de persil haché.

NOCCIOLLETTE

Gâteaux aux noisettes

80 g de noisettes
100 g de beurre
40 g de sucre glace
1 1/2 cuillère à soupe de miel
100 g de farine
Sucre glace pour saupoudrer

POUR FAIRE ENVIRON 24 GÂTEAUX

Mettez le four à 180°. Étalez les noisettes sur une plaque à pâtisserie et passez-les au four 6 à 8 minutes ; elles doivent être légèrement grillées. Retirez-les du four et roulez-les dans un linge rêche afin d'enlever la peau brune, puis écrasez-les en morceaux pas trop fins.
Mélangez le beurre, le sucre et le miel jusqu'à ce qu'ils forment une crème légère et mousseuse, ajoutez la farine et les noisettes et mélangez bien. Avec des mains farinées, prenez des boulettes de pâte et donnez-leur une forme ovale. Disposez-les sur une tôle à pâtisserie beurrée en laissant entre chaque gâteau un espace de 2,5 cm environ.
Faites-les cuire 15 minutes à four chaud (200°) ; ils doivent être fermes. Laissez-les refroidir légèrement, puis passez-les dans le sucre glace.

Nocciollette

Campanie

Ceux qui sont allés à Naples connaissent le tempérament enthousiaste des Napolitains, qui ont pour réputation établie de chanter du matin au soir. Cette région est assez pauvre, aussi la cuisine est-elle colorée, mais comme dans toutes les régions du Sud, à base de tomates, d'ail, d'huile d'olive, d'herbes, d'anchois, de fromage, de poisson frais et de légumes. A cause de son sol volcanique fertile, les Romains ont appelé cette région *Campania felix*.

Les agrumes, les noix, les vignes et les olives sont cultivés en quantité ; chaque parcelle de terrain est labourée et des légumes sont semés entre les arbres. Les courgettes, les poivrons, les haricots, les aubergines, les pommes de terre, les légumes-racines, les salades et les herbes poussent très bien sur ce sol et sous ce climat ensoleillé.

Naples est la capitale gastronomique de cette région ; elle revendique la recette d'origine de la pizza et des pâtes tubulaires. Les pâtes, dont les spaghetti et les macaroni sont les plus connus, sont fabriquées industriellement en grandes quantités, pour la consommation locale et pour l'exportation. Vous trouverez dans toute cette région des pizzas sous toutes leurs formes, depuis la portion individuelle légère, jusqu'aux énormes pizzas vendues au mètre. L'intérieur d'un four à pizzas, où brûle le bois d'olivier et de citronnier, est inoubliable. On en retire les cendres parfumées juste avant de mettre à cuire les pizzas.

La Campanie est le berceau de la mozzarella ; elle est obtenue parfois à partir du lait de buffle, mais le plus souvent avec du lait de vache. On doit la consommer fraîche. Dans la région de Sorrente, allez visiter des laiteries ; vous pourrez y voir fabriquer la treccia, une sorte de mozzarella. Les gourmets connaissent bien la saveur de la treccia fraîche, assaisonnée de poivre noir et accompagnée de fèves crues et de pain complet. On ne mange pas beaucoup de riz dans le Sud, mais en Campanie on trouve une spécialité à base de riz, le *sartu :* il s'agit d'un plat de riz cuit à l'eau, recouvert de sauce tomate et agrémenté de diverses sortes de viandes et de légumes suivant le goût, le budget et les ingrédients dont on dispose. Les autres spécialités sont à base de sauce tomate ; les tomates mûres sont mises en bottes et conservées en grand nombre, pour être utilisées au cours de l'hiver. La culture de la vigne est assez importante ; les vins locaux sont agréables et quelques-uns sont devenus célèbres. Si vous parcourez la région, vous devez goûter aux vins d'Ischia et de Capri. Les Napolitains partagent avec les Siciliens l'honneur d'avoir fait connaître les glaces au reste de l'Europe. Dans tout le Sud, tous ceux qui aiment les desserts en trouveront de variés et appétissants.

PEPERONI GRATINATI 'O PARRUCCHIANO

Poivrons farcis gratinés

Les poivrons verts et les poivrons rouges farcis sont très appréciés dans le Sud de l'Italie. Ce plat se sert froid en hors-d'œuvre ; c'est une des spécialités du restaurant « O Parrucchiano », à Sorrente.

1 aubergine moyenne, pelée
Sel
4 gros poivrons verts
1 grande tranche de pain rassis de 5 mm
  d'épaisseur
15 cl d'huile d'olive (environ)
2 gousses d'ail écrasées
4 filets d'anchois hachés menu
12 grosses olives noires dénoyautées et
  hachées
1 cuillère à soupe de câpres égouttées
1 cuillère à soupe de basilic frais haché
1 cuillère à soupe de persil haché
Poivre

POUR NAPPER :
2 cuillères à soupe de chapelure
1 cuillère à soupe de persil haché
1 grosse gousse d'ail écrasée

POUR 4 PERSONNES

Coupez l'aubergine en dés ; mettez-les dans une passoire, saupoudrez de sel et laissez dégorger 1 heure.

Mettez les poivrons au four en les tournant fréquemment ; laissez-les 10 minutes environ, jusqu'à ce que leur peau soit noire. Quand ils ont un peu refroidi, pelez-les, coupez-les en deux dans le sens de la longueur et épépinez-les. Passez-les à l'eau froide pour enlever toute trace de peau et de pépins.

Rincez les dés d'aubergine à l'eau froide, puis épongez-les dans du papier absorbant. Otez la croûte de la tranche de pain et coupez-la en dés.

Faites chauffer 2 cuillères à soupe d'huile d'olive dans une poêle et faites dorer les dés de pain (ils doivent être croustillants), en les tournant souvent. Versez-les dans un saladier. Faites chauffer dans la même poêle 3 cuillères à soupe d'huile d'olive et faites dorer les cubes d'aubergine ; puis mettez-les avec le pain.

SALSA DI POMODORO - 1

Sauce avec des tomates fraîches

Voici une recette de sauce tomate à base de tomates fraîches, que vous ferez pendant la pleine saison des tomates.

1 kg de tomates coupées en gros morceaux
1 petit oignon haché fin
1 petite carotte hachée fin
1 branche de céleri hachée
1/2 cuillère à café de sucre
Sel
Poivre
Basilic frais haché, ou persil haché, au moment de servir

POUR FAIRE ENVIRON 45 CL DE SAUCE

Mettez les tomates dans une casserole avec l'oignon, la carotte, le céleri, le sucre, le sel et le poivre. Laissez mijoter 20 à 30 minutes ; les tomates doivent former une sorte de purée. Passez-les au tamis. Si vous souhaitez une sauce plus épaisse, remettez la sauce dans la casserole et portez à ébullition ; laissez réduire jusqu'à l'épaisseur désirée.

Rectifiez l'assaisonnement et ajoutez les herbes au moment de servir.

SALSA DI POMODORO - 2

Sauce avec des tomates en boîte

Cette sauce tomate parfumée n'a pas besoin d'être passée au tamis.

2 cuillères à soupe d'huile d'olive
1 grosse gousse d'ail coupée en deux
1 boîte (400 g) de tomates
1 cuillère à soupe de concentré de tomate
1 cuillère à café de sucre
Sel
Poivre

POUR FAIRE ENVIRON 30 CL DE SAUCE

Faites chauffer à feu doux 5 minutes l'huile et l'ail ; l'huile doit être bien parfumée. Retirez l'ail.

Ajoutez les tomates et leur jus, le concentré de tomate, le sucre, le sel et le poivre. Portez à ébullition, couvrez et laissez mijoter au moins 40 minutes (plus si possible).

Battez la sauce s'il reste encore quelques gros morceaux de tomate, rectifiez l'assaisonnement ; votre sauce est prête.

Faites chauffer 2 autres cuillères à soupe d'huile dans la poêle et faites revenir doucement l'ail 2 à 3 minutes, puis ajoutez les anchois, les olives, les câpres, le basilic et le persil. Laissez dorer 1 minute, puis ajoutez-les au pain et à l'aubergine ; poivrez et mélangez bien.

Étalez les poivrons, répartissez la farce, roulez-les et disposez-les dans un plat à gratin bien huilé. Mélangez la chapelure, le persil et l'ail ; saupoudrez-en les poivrons. Huilez le tout et faites cuire 30 à 40 minutes à four chaud (180°). Servez froid.

Zuppa di zucchini (ci-dessous) ; Salsa di pomodoro (en haut, à gauche)

ZUPPA DI ZUCCHINI

Soupe de courgettes

Il s'agit d'une soupe campagnarde très parfumée et très nourrissante. Bien qu'elle contienne de l'œuf, vous pourrez la réchauffer le jour suivant, à condition de ne pas la faire bouillir.

1 kg de courgettes
50 g de beurre
1 oignon coupé en rondelles
2 l d'eau
2 cubes de poule au pot
2 œufs
3 cuillères à soupe de parmesan râpé
2 cuillères à soupe de basilic frais haché,
*   ou de persil haché*
Sel
Poivre

POUR TERMINER :
Parmesan râpé

POUR 6 A 8 PERSONNES

Coupez les extrémités des courgettes et coupez-les en tranches de 5 mm d'épaisseur. Faites fondre le beurre dans une casserole et faites revenir doucement l'oignon 5 minutes. Ajoutez les courgettes et faites revenir 5 à 10 minutes, en remuant fréquemment jusqu'à ce qu'elles soient légèrement dorées. Ajoutez l'eau, les cubes de poule au pot émiettés, portez à ébullition, couvrez et laissez mijoter doucement 20 minutes.

Passez ce mélange à la moulinette ou au mixer électrique, puis remettez-le dans la casserole. Portez à ébullition avant de servir.

Mettez les œufs, le fromage et les herbes au fond de la soupière ; fouettez. Tout en continuant à battre, versez peu à peu la soupe. Rectifiez l'assaisonnement et servez aussitôt. Servez avec du parmesan dans un bol à part.

PIZZA ALLA NAPOLETANA

Pizza à la napolitaine

Les pizzas que l'on vend dans le commerce sont faites avec de la pâte à pain ordinaire, qui durcit quand elle refroidit ; on ne peut pas la réchauffer. L'hôtel *Le Alexide,* à Vico Equense, m'a donné une recette de pâte à pizza légère qui se réchauffe et se congèle facilement.

PÂTE A PIZZA :

15 g de levure de boulanger
2 cuillères à soupe d'eau chaude
230 g de farine
1/2 cuillère à café de sel
2 cuillères à soupe d'huile d'olive
3 cuillères à soupe de lait (environ)

GARNITURE :

350 g de tomates épépinées ou 1 boîte
  (400 g) de tomates égouttées
180 g de mozzarella ou de bel paese ou
  de primula
4 cuillères à soupe d'huile d'olive
Sel
Poivre
1 cuillère à soupe de basilic frais haché
1/2 cuillère à café d'origan en poudre
4 cuillères à soupe de parmesan râpé

POUR 4 A 8 PERSONNES

Délayez la levure dans l'eau chaude. Mettez la farine et le sel sur le plan de travail, faites un puits au milieu et versez la levure, l'huile et le lait.

Mélangez le tout du bout des doigts, jusqu'à ce qu'une pâte consistante, mais élastique se forme ; ajoutez un peu de lait, si nécessaire.

Pétrissez la pâte vigoureusement, roulez-la dans vos mains pendant au moins 5 minutes. Formez une boule, que vous mettrez dans une jatte huilée ; couvrez et laissez lever, pour que la pâte double de volume. Cela prend environ 1 heure dans un endroit chaud et 2 à 3 heures à la température de la pièce.

Pendant que la pâte monte, préparez la garniture. Coupez les tomates en fines rondelles ou hachez les tomates en boîte. Coupez le fromage en tout petits morceaux.

Mettez la pâte, une fois levée, sur une surface farinée et partagez-la en 2 ou 4 morceaux, suivant la taille des pizzas que vous désirez faire. Pétrissez légèrement chaque morceau, que vous étalerez dans des plats en aluminium

huilés. Avec vos pouces passés dans la farine, étalez bien la pâte au fond des plats et faites-la déborder de 1 cm sur les bords.

Badigeonnez d'huile, garnissez avec les tomates, salez et poivrez. Saupoudrez de basilic et d'origan. Disposez les morceaux de fromage et saupoudrez de parmesan. Arrosez chaque pizza d'huile et laissez-les lever dans un endroit chaud 30 minutes.

Faites cuire 15 minutes à four très chaud (220°), puis 5 à 10 minutes à four moyen (180°).

Les petites pizzas sont considérées comme des portions individuelles, mais les grandes peuvent être coupées en trois ou quatre parts.

POUR CONGELER :

Préparez la pizza comme ci-dessus, sans la cuire ; mettez-la au congélateur, après l'avoir enveloppée et étiquetée. Pour la réchauffer, retirez-la de l'emballage et mettez-la à four froid, en augmentant peu à peu la température jusqu'à 230°. Cela peut prendre de 25 à 40 minutes, selon la taille de la pizza.

AUTRES GARNITURES :

Utilisez la même base de tomates, avec ou sans fromage, et ajoutez plusieurs des ingrédients suivants : filets d'anchois, olives noires, champignons, rondelles de saucisson, crevettes décortiquées, ou fines lanières de poivron, etc.

Pizza alla napoletana

VERMICELLI CON LE COZZE

Vermicelli à la sauce tomate et aux moules

Cette recette à base de moules est un plat classique de la baie de Naples. Vous pouvez utiliser des *vermicelli* ou des spaghetti, mais servez le fromage râpé à part.

2,5 l de moules
15 cl d'eau
5 cuillères à soupe d'huile d'olive
1 oignon moyen haché fin
2 gousses d'ail coupées en rondelles
750 g de tomates pelées et hachées
350 g de vermicelli ou de spaghetti
Poivre
2 cuillères à soupe de persil haché
Sel

POUR 4 PERSONNES

Grattez et nettoyez les moules ; lavez-les à grande eau, en retirant celles qui sont abîmées. Mettez-les dans une grande casserole avec 15 cl d'eau et mettez à feu vif 5 à 6 minutes en agitant la casserole de temps en temps ; les moules doivent s'ouvrir. Ôtez du feu et égouttez. Mettez de côté quelques moules avec leur coquille pour garnir le plat. Retirez les autres moules de leur coquille.

Faites chauffer 3 cuillères à soupe d'huile d'olive dans une grande casserole et faites dorer l'oignon. Ajoutez l'ail et les tomates. Laissez mijoter doucement environ 30 minutes ; les tomates doivent former une sorte de pulpe.

Faites cuire les pâtes à l'eau bouillante salée environ 10 minutes ; elles doivent être tendres. Égouttez-les et mettez-les dans un plat de service chaud, contenant le reste d'huile et tournez légèrement.

Versez la sauce sur le dessus. Décorez avec les moules et servez aussitôt. Saupoudrez de persil haché.

Vermicelli con le cozze

SPAGHETATTA

Spaghetti à l'ail

Cette très ancienne manière de préparer les pâtes avec de l'huile et de l'ail a acquis un nouveau rôle. Dans la région de Naples, les spaghetatta sont aujourd'hui la façon la plus distinguée d'achever une soirée entre amis.

350 g de spaghetti
Sel
5 cuillères à soupe d'huile d'olive
2 grosses gousses d'ail écrasées
Poivre
2 cuillères à soupe de persil haché

POUR 4 PERSONNES

Faites cuire les pâtes à l'eau bouillante salée environ 10 minutes ; elles doivent être cuites, mais encore fermes. Égouttez soigneusement.

Dans la même casserole, faites chauffer l'huile et l'ail environ 5 minutes. Quand l'huile est bien parfumée, ajoutez un peu de poivre et le persil haché.

Ajoutez les pâtes égouttées et mélangez légèrement à l'aide de deux fourchettes jusqu'à ce qu'elles soient bien imbibées d'huile. Servez dans des assiettes creuses.

BRACIOLETTE
RIPIENI

Paupiettes de veau farcies

Pour exécuter cette recette, utilisez des escalopes en un seul morceau et aplatissez-les sur une épaisseur très mince.

8 escalopes de veau de 50 g chacune
8 tranches fines de jambon de Paris
25 g de mie de pain
3 cuillères à soupe de raisins de Smyrne
25 g de pignons ou d'amandes effilées
4 cuillères à soupe de parmesan râpé
2 cuillères à soupe de persil haché

Sel
Poivre
1 cuillère à soupe d'huile d'olive
15 cl de vin blanc sec

POUR 4 PERSONNES

Étalez les escalopes sur du papier sulfurisé ; aplatissez-les jusqu'à ce qu'elles soient fines comme du papier à cigarette. Retirez le papier sulfurisé et disposez sur chacune d'elles une tranche de jambon.

Imbibez la mie de pain d'eau, puis pressez. Mettez-la dans une jatte et ajoutez les raisins, les pignons, le fromage, le persil, salez et poivrez ; mélangez bien. Répartissez le tout sur les tranches de viande, roulez-les très serrées et attachez-les avec une pique en bois.

Faites chauffer l'huile dans une cocotte et faites dorer les paupiettes. Versez le vin blanc, couvrez et laissez mijoter 20 à 25 minutes en tournant une fois en cours de cuisson ; les paupiettes doivent être tendres. Si vous préférez, vous pouvez les faire cuire dans un four à 180º.

Disposez les paupiettes dans un plat de service chaud. Portez la sauce à ébullition et laissez bouillir jusqu'à ce qu'elle ait épaissi et ait réduit de moitié. Enlevez les piques en bois, nappez de sauce. Accompagnez de pain grillé.

ROGNONI
TRIFOLATI

Rognons sautés au citron

Braciolette ripieni, Rognoni trifolati
(à gauche) ; Bistecca alla pizzaiola (ci-dessus)

La rapidité de la cuisson des rognons coupés en tranches les empêche d'être trop durs ou trop mous.

500 g de rognons de veau dégraissés
1 grosse gousse d'ail coupée en deux
1 cuillère à soupe d'huile d'olive
30 g de beurre
2 cuillères à soupe de persil haché
Le jus de 1/2 citron
Sel
Poivre
POUR DÉCORER :
Croutons de pain en forme de triangle

POUR 4 PERSONNES

Avec un couteau pointu, enlevez la membrane qui recouvre chaque rognon et les parties blanches. Coupez-les en tranches très fines.

Mettez l'ail, l'huile et le beurre dans une grande poêle et laissez chauffer doucement 2 minutes environ, jusqu'à ce que l'ail ait bien parfumé l'huile. Retirez l'ail.

Augmentez le feu et quand l'huile est chaude, faites revenir les rognons 2 minutes environ, en tournant constamment. Saupoudrez de persil et laissez cuire encore 2 minutes sans cesser de tourner. Ajoutez le jus de citron et laissez encore 2 minutes ; les rognons doivent être tendres, légèrement roses au milieu.

Salez, poivrez et servez aussitôt, garni de croûtons de pain grillé.

BISTECCA ALLA PIZZAIOLA

Bifteck à la sauce pizzaiola

La sauce *pizzaiola* est toujours faite avec des tomates fraîches, cuites rapidement jusqu'à ce qu'elles forment une pulpe ; elle est parfumée avec de l'ail et des herbes. Elle accompagne aussi bien la viande que le poisson blanc frit.

4 biftecks dans le filet ou le faux-filet
Sel
Poivre
Huile d'olive

SAUCE :
2 cuillères à soupe d'huile d'olive
3 gousses d'ail coupées en morceaux
500 g de tomates pelées, épépinées et
    hachées grossièrement
Feuilles de basilic ou origan en poudre
Branches de persil pour décorer (facul-
    tatif)

POUR 4 PERSONNES

Salez et poivrez le bifteck. Passez-le dans l'huile et laissez-le attendre.

Pour préparer la sauce, faites chauffer l'huile et l'ail dans une casserole 1 à 2 minutes, puis ajoutez les tomates ; salez et poivrez. Portez à ébullition et laissez cuire à feu vif 5 à 6 minutes. Ajoutez les feuilles de basilic coupées grossièrement ou 1 pincée d'origan en poudre.

Huilez le fond d'une cocotte et faites dorer les biftecks des deux côtés. Recouvrez d'une épaisse couche de sauce, couvrez et laissez cuire 6 à 10 minutes à feu doux.

Saupoudrez un peu de persil haché au moment de servir.

Faites chauffer dans une grande poêle 3 cuillères à soupe d'huile d'olive et faites dorer légèrement une première couche d'aubergines de chaque côté ; égouttez-les sur du papier absorbant. Faites dorer le reste des aubergines et ajoutez un peu d'huile si nécessaire.

Coupez la mozzarella, le bel paese ou la primula en tranches fines. Huilez un plat à gratin et nappez le fond d'une fine couche de sauce tomate ; ajoutez une couche d'aubergines. Nappez de sauce tomate, recouvrez de la moitié du fromage et saupoudrez la moitié du parmesan. Recommencez jusqu'à épuisement des ingrédients.

Faites cuire 25 à 30 minutes à four chaud (200°) ; le tout doit être bien doré.

Melanzane alla parmigiana (à gauche)

MELANZANE ALLA PARMIGIANA

Gratin d'aubergines au parmesan

Le secret de ce plat, que vous pouvez servir comme plat unique ou comme légume d'accompagnement, se trouve dans la quantité de sauce tomate et de parmesan râpé.

45 cl de sauce tomate (voir page 28)
1 kg d'aubergines pelées
Sel
Farine
5-8 cuillères à soupe d'huile d'olive
180 g de mozzarella, bel paese ou primula
50 g de parmesan fraîchement râpé

POUR 6 PERSONNES

Préparez la sauce tomate. Coupez les aubergines en rondelles de 5 mm d'épaisseur. Mettez-les dans une passoire en les saupoudrant largement de sel, couvrez et laissez dégorger une heure. Épongez soigneusement dans du papier absorbant, puis saupoudrez de farine.

BISQUIT TORTONI ALLA MANDORLA

Glace saupoudrée d'amandes

Il s'agit d'une glace très simple, à servir dans des ramequins individuels.

40 g d'amandes effilées
1 gros blanc d'œuf
30 cl de crème fraîche épaisse
4 cuillères à soupe de sucre glace
3 cuillères à soupe de cognac ou de liqueur

POUR 6 A 8 PERSONNES

Étalez les amandes sur une plaque à pâtisserie et passez-les sous le gril en

agitant fréquemment ; elles doivent être légèrement colorées. Laissez-les refroidir.

Battez le blanc d'œuf en neige très ferme. Dans une jatte, fouettez la crème jusqu'à ce qu'elle commence à épaissir, puis ajoutez la moitié du sucre et la moitié de la liqueur ; fouettez jusqu'à ce que le tout épaississe. Agissez de même avec le reste de sucre et de liqueur. Incorporez délicatement le blanc d'œuf.

Versez le mélange dans des ramequins individuels résistant au froid et nappez d'amandes grillées. Mettez-les dans un plat profond, couvrez d'une feuille de papier aluminium, de sorte que les glaces soient couvertes, mais pas aplaties. Laissez au freezer 3 heures ; elles doivent être fermes.

Trente minutes avant de servir, sortez-les du freezer et mettez-les dans votre réfrigérateur.

Bisquit tortoni alla mandorla

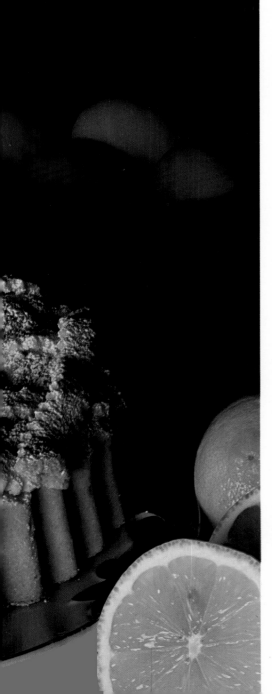

PASTIERA ALLA NAPOLETANA

Tarte à la napolitaine

Ce plat est composé d'une garniture parfumée, cuite dans une pâte au beurre et parfumée au citron, que les Italiens appellent *pasta frolla*.

Vous pouvez la servir comme dessert ou comme collation.

PASTA FROLLA :
230 g de farine
1 pincée de sel
80 g de sucre en poudre
100 g de beurre ramolli
Le zeste de 1/2 citron râpé fin
2 jaunes d'œufs

GARNITURE :
350 g de ricotta ou de fromage blanc
*   non lissé*
80 g de sucre en poudre
3 œufs battus
50 g d'amandes émondées, coupées fin
80 g de fruits confits, coupés fin
Le zeste de 1/2 citron, finement râpé
Le zeste de 1/2 orange, finement râpé
Un peu d'extrait de vanille
Sucre glace à saupoudrer

POUR FAIRE 6 PARTS

Mélangez sur le plan de travail la farine, le sel et le sucre. Formez un puits au milieu et mettez le beurre, le zeste et les jaunes d'œufs.

Du bout des doigts, repoussez la farine vers le puits et mélangez le tout jusqu'à l'obtention d'une pâte homogène. Enveloppez-la dans une feuille de papier sulfurisée et mettez-la une heure au réfrigérateur.

Pour faire la garniture, passez la ricotta au tamis, puis battez-la avec le sucre. En continuant à tourner, incorporez les œufs peu à peu, puis tous les autres ingrédients à l'exception du sucre glace. Mélangez bien.

Étalez la pâte sur une mince épaisseur et placez-la sur un moule rond à bords hauts de 18-20 cm de diamètre. Gardez les petits bouts de pâte en trop pour la décoration. Étalez la garniture et unifiez la surface. Étalez les restes de pâte sur une mince épaisseur ; découpez des lanières de 1 cm de large ; disposez-les en croisillons sur le dessus du gâteau.

Faites cuire 45 minutes à four chaud (180°). Laissez refroidir sur une grille. Servez froid, saupoudré de sucre glace.

Pastiera alla napoletana

Latium, Abruzzes et Molise

Ces trois régions, au centre de la botte, constituent une sorte de séparation entre le Sud coloré, qui cuisine à l'huile d'olive, surtout des pâtes tubulaires, et le Nord, qui cuisine au beurre, surtout des pâtes plates. Le Latium, dont le littoral fait saillie sur la mer Tyrrhénienne, les Abruzzes et la Molise, dont le littoral est situé sur l'Adriatique, se rencontrent sur les Apennins, épine dorsale de l'Italie.

Rome est la capitale du Latium, et comme tous les chemins mènent à Rome, on ne sera pas étonné d'y trouver toutes les cuisines d'Italie. Cependant, Rome a sa propre cuisine. Pour aller à sa rencontre, recherchez les petites trattorias où vont les Romains, et où la cuisine ressemble à celle faite à la maison. Vous y trouverez des plats simples, nourrissants, parfumés et souvent relevés, et aussi bien des pâtes plates que tubulaires. Les *fettucine,* pâtes aux œufs en forme de ruban, sont servies *al burro* (au beurre) ou *alla panna* (au beurre et à la crème) ; on leur ajoute du parmesan râpé. Rome est aussi réputée pour ses plats de cannelloni, faits comme dans le Nord. Une autre spécialité romaine est l'*abbacchio* (agneau qui n'a jamais mangé d'herbe). On y organise des festivals qui donnent lieu chacun à des traditions culinaires : chèvre à Pâques, cochon farci cuit à la broche pour la fête de Noantri, escargots en sauces parfumées pour la Nuit de la Saint-Jean, anguilles et chapons farcis à Noël. On apporte aux tendres légumes nouveaux les soins qu'ils méritent, pour obtenir des plats aussi délicieux que les artichauts poivrade frits, les petits oignons en sauce aigre-douce et les petits pois au jambon.

La robuste cuisine des Abruzzes et de la Molise reflète la variété des paysages et des produits qu'elles fournissent. Avec les porcs élevés en montagne on fabrique des jambons, des saucisses à l'ail et une variante relevée de la mortadelle. Les foies de porc servent à fabriquer des saucisses de foie, parfumées avec des écorces d'orange et de l'ail. La ricotta est faite avec du lait de brebis. On trouve en abondance des poissons d'eau douce et les villes côtières offrent leur propre variété de *brodetto* (soupe de poisson), souvent parfumée au vinaigre blanc produit dans les Abruzzes. Le *scapece,* plat à base de poisson mariné et frit, est une spécialité régionale, préparée à peu près de la même façon que le poisson mariné à la lombarde (voir page 81), mais avec plus de vinaigre. Un autre plat national, fait de poulpes et de seiches cuits dans une sauce relevée de piments rouges, est appelé avec à-propos *polpipi in purgatorio.* Les pâtes sont en général tubulaires comme dans le Sud, mais les Abruzzes ont leur propre spécialité, les *maccheroni alla chitarra.* Ce sont des pâtes épaisses, en forme de ruban, que l'on obtient en faisant passer la pâte à travers des fils tendus, à intervalles réguliers, sur un cadre de bois ayant la forme d'une guitare.

SUPPLÌ AL TELEFONO

Croquettes de riz au fromage

On utilise de la mozzarella pour ces croquettes de riz, de sorte que lorsqu'on les ouvre, le fromage forme des fils. On peut utiliser du risotto préparé spécialement pour ce plat, ou bien des restes, s'ils ne sont pas trop desséchés.

2 œufs
Risotto froid fait avec 350 g de riz (voir page 82)
100 g de mozzarella coupée en dés
50 g de jambon cuit, coupé en dés (facultatif)
Chapelure
Huile à friture

POUR 4 A 6 PERSONNES

Battez légèrement les œufs. Incorporez-les au risotto pour le lier. Prenez la valeur d'une cuillère à soupe de risotto dans votre paume, ajoutez 3 dés de fromage et 3 dés de jambon, puis recouvrez de 1 cuillère à soupe de risotto. Formez une boule, de telle sorte que le fromage et le jambon y soient complètement enfermés. Passez les croquettes dans la chapelure, puis mettez-les au réfrigérateur. Laissez 1 ou 2 heures ; les croquettes doivent être fermes.

Faites chauffer l'huile dans une friteuse à 190° et faites frire les croquettes, par 4 ou 5 à la fois, environ 5 minutes ; elles doivent être croustillantes et dorées, et le fromage à l'intérieur doit avoir fondu. Égouttez-les sur du papier absorbant et tenez-les au chaud jusqu'à ce que vous ayez fini de cuire toutes les croquettes. Servez chaud.

STRACCIATELLA

Bouillon aux œufs

Utilisez un bon bouillon de poule ou un bouillon de viande « fait maison », pour cette soupe, elle n'en sera que meilleure.

1,2 l de bouillon de poule ou de bœuf
2 œufs
2 cuillères à soupe de semoule fine
50 g de parmesan râpé
1 cuillère à soupe de persil haché
1 pincée de noix de muscade
Sel
Poivre
AU MOMENT DE SERVIR :
Du parmesan fraîchement râpé

POUR 4 A 6 PERSONNES

Mettez à part 20 cl de bouillon. Versez le reste dans une casserole et portez à ébullition. Battez ensemble les œufs, la semoule, le fromage, le persil, la noix de muscade, puis ajoutez ce mélange au bouillon froid mis à part.

Versez, en fouettant, ce mélange dans la casserole de bouillon et continuez à chauffer doucement, jusqu'à ce que les œufs forment des sortes de flocons. Servez avec du parmesan à part et accompagnez de *grissini* ou de croûtons.

BUCATINI ALL' AMATRICIANA

Pâtes au lard et aux tomates

Ce plat préféré des Romains tient son nom de la ville d'Amatrice sur les collines sabines. A l'origine, on le préparait avec des *bucatini*, une sorte de petit macaroni, mais de nos jours on le fait couramment avec des spaghetti. Faites attention à ne pas trop cuire les pâtes, qu'elles soient *al dente*, et servez aussitôt.

180 g de lard non fumé
80 g d'oignons hachés
1 petit piment vert, épépiné et haché
500 g de tomates pelées, épépinées et hachées
350 g de bucatini ou de spaghetti
50 g de pecorino râpé ou de parmesan
Poivre
Sel

Stracciatella

POUR 4 PERSONNES

Coupez le lard en petits lardons. Faites-les revenir dans une poêle à feu doux, jusqu'à ce qu'ils soient dorés et croustillants. Retirez de la poêle et tenez au chaud.

Dans la graisse restant dans la poêle faites revenir les oignons et le piment. Ajoutez les tomates et laissez cuire à feu vif 5 minutes.

Faites cuire les pâtes dans une grande casserole d'eau bouillante salée 10 à 12 minutes ; elles doivent être *al dente*. Égouttez-les soigneusement. Saupoudrez le fromage au fond du plat de service, ajoutez les pâtes chaudes, et à l'aide de deux fourchettes mélangez-les, jusqu'à ce que le fromage soit fondu.

Mettez les lardons dans la sauce, faites réchauffer, poivrez et ajoutez un peu de sel, si nécessaire. Disposez la sauce au milieu des pâtes et servez immédiatement.

POMODORI COL RISO

Tomates farcies au riz

Ce plat apportera une note colorée dans un repas. Il peut accompagner un rôti, ou même être servi comme hors-d'œuvre.

6 grosses tomates bien fermes
100 g de riz
2 gousses d'ail écrasées
3 cuillères à soupe d'huile d'olive (environ)
1 cuillère à soupe de basilic frais haché ou 1/2 cuillère à café de basilic en poudre
2 cuillères à soupe d'eau
Sel
Poivre
Petites branches de persil pour garnir

POUR 6 PERSONNES

Découpez un chapeau au sommet de chaque tomate. A l'aide d'une cuillère, retirez la pulpe que vous mettrez dans une jatte ; jetez la partie centrale dure et gardez le jus et les graines. Ajoutez le riz, l'huile, le basilic, l'eau, salez et poivrez généreusement. Mélangez bien.

Huilez l'intérieur des tomates, salez-les et disposez-les dans un plat à gratin huilé. Garnissez-les du mélange aux deux tiers, puis remettez le chapeau, de telle sorte que le riz soit couvert.

Couvrez le plat d'un couvercle ou d'une feuille de papier d'aluminium et faites cuire 1 heure à four moyen (180°).

Garnissez chaque tomate de persil et servez chaud, avec une viande rôtie ou une volaille.

Pomodori col riso, Bucatini all'amatriciana

CANNELLONI

Les cannelloni sont des rectangles de pâte, généralement faits maison, farcis, roulés sur eux-mêmes, nappés de sauce, puis cuits au four et gratinés. La farce peut être faite de viande hachée, de fromage ou d'un mélange de fromage et d'épinards.

2 cuillères à soupe d'huile
50 g d'oignon haché fin
1 gousse d'ail écrasée
230 g de bœuf finement haché
2 tomates pelées, épépinées et hachées
1 cuillère à soupe de chapelure
30 g de parmesan râpé

1/2 cuillère à café de marjolaine fraîche hachée ou 1 pincée de marjolaine sèche
1 œuf légèrement battu
Sel
Poivre
SAUCE :
40 g de beurre
40 g de farine
30 cl de lait chaud
15 cl de crème fraîche chaude
Sel
Poivre blanc
Noix de muscade râpée
PÂTE :
8 morceaux de lasagne ou de pâte faite maison, mesurant chacun 7 × 10 cm (voir page 58)
POUR GRATINER :
30 g de parmesan râpé
20 g de beurre

POUR 4 PERSONNES

Pour préparer la farce, faites chauffer l'huile dans une casserole et faites-y revenir doucement l'oignon et l'ail, ajoutez la viande hachée et laissez cuire en tournant, jusqu'à ce que la viande ait pris couleur. Ajoutez les tomates, couvrez et laissez cuire à feu doux 10 minutes. Retirez du feu et versez-y la chapelure, le fromage, la marjolaine, l'œuf, le sel, le poivre. Laissez refroidir.

Pour faire la sauce, faites fondre le beurre dans une casserole, ajoutez la farine et laissez cuire 1 minute. Retirez du feu, ajoutez peu à peu le lait, puis la crème, en fouettant jusqu'à ce que vous obteniez un mélange homogène. Remettez sur le feu, portez à ébullition sans cesser de fouetter. Salez, poivrez et ajoutez la noix de muscade râpée. Couvrez et tenez au chaud.

Pour faire cuire la pâte, portez une grande casserole d'eau salée à ébullition. Plongez-y plusieurs morceaux de pâte à la fois. Tournez pour les empêcher de coller les uns aux autres et laissez-les cuire 5 minutes, pour la pâte faite maison, suivant le temps indiqué sur le paquet pour les autres ; ils doivent être tendres. Retirez-les à l'aide d'une écumoire, égouttez-les bien et étalez-les les uns à côté des autres sur un linge. Laissez-les refroidir un peu.

Répartissez la farce sur le grand côté de chaque morceau, puis roulez celui-ci. Disposez les cannelloni dans un plat à gratin bien beurré. Nappez-les de sauce et veillez à ce qu'ils en soient bien couverts. Saupoudrez de parmesan râpé et parsemez de petits morceaux de beurre.

Faites cuire 20 à 30 minutes à four chaud (190°), jusqu'à ce que le plat soit doré et que des bulles apparaissent.

Accompagnez d'une salade.

Cannelloni (à gauche)
Piselli al prosciutto (à droite)

SPAGHETTI ALLA CARBONARA

Spaghetti à la carbonara

Pour réussir ce plat, il est très important que les œufs soient crémeux ; en conséquence vous devrez avoir préparé tous les autres ingrédients avant de commencer à cuire les œufs.

350 g de spaghetti
180 g de lard fumé
3 œufs
2 cuillères à soupe de crème fraîche
40 g de parmesan râpé ou de pecorino
Sel
Poivre
40 g de beurre

POUR 4 PERSONNES

Faites cuire les spaghetti à l'eau bouillante salée, 10 minutes environ ; ils doivent être tendres, mais *al dente*. Égouttez-les soigneusement.

Coupez le lard en petits dés et faites-les revenir dans une poêle sans matière grasse, jusqu'à ce qu'ils soient croustillants et dorés. Battez les œufs avec la crème et le fromage, salez légèrement et poivrez.

Quand les spaghetti sont prêts, faites fondre le beurre dans une poêle. Versez le mélange d'œufs, et tournez sans arrêt à feu doux, jusqu'à ce que cela commence à épaissir. Ajoutez aussitôt les lardons et les spaghetti, et mélangez délicatement. Servez aussitôt.

Spaghetti alla carbonara

PISELLI AL PROSCIUTTO

Petits pois au jambon

Vous pouvez préparer ce plat aussi bien avec des petits pois frais qu'avec des petits pois congelés. Une version plus économique consiste à utiliser du jambon cuit à la place du jambon cru. Vous pouvez servir ce plat comme plat unique, ou bien en légume accompagnant une viande rôtie ou une volaille.

25 g de beurre
50 g d'oignons finement hachés
4 cuillères à soupe de bouillon de poule ou d'eau

280 g de petits pois frais ou congelés
   (que vous aurez fait décongeler)
50 g de jambon cru ou de jambon cuit
   coupé en julienne
Sel
Poivre

POUR 3 A 4 PERSONNES

Faites fondre le beurre dans une casserole et faites revenir l'oignon 5 à 6 minutes. Ajoutez le bouillon et les petits pois, portez à ébullition, couvrez et laissez mijoter, 5 minutes pour des petits pois congelés, 15 à 20 minutes pour des petits pois frais.

Ajoutez le jambon cru, tournez fréquemment jusqu'à ce que le liquide soit absorbé. Rectifiez l'assaisonnement et servez chaud.

AGNELLO CON PEPERONI

Agneau aux poivrons

Vous pouvez utiliser des restes d'agneau ou même du collier d'agneau.

1 kg d'agneau
Sel
Poivre
Farine
2 cuillères à soupe d'huile d'olive
2 gousses d'ail écrasées
30 cl de vin blanc sec
6 poivrons rouges et verts, mélangés si possible
4 tomates pelées et coupées en quartiers
1 feuille de laurier

POUR 4 PERSONNES

Dégraissez la viande, passez-la dans le sel et le poivre, puis dans la farine.

Faites chauffer l'huile et l'ail dans une cocotte et faites-y dorer la viande, en la retournant une ou deux fois. Versez le vin et laissez bouillir quelques minutes ; il doit réduire d'un tiers.

Coupez les poivrons en quatre et retirez les cloisons et les graines. Ajoutez les poivrons, les tomates et le laurier dans la cocotte. Couvrez et laissez mijoter 45 minutes ; le mouton doit être tendre. Rectifiez l'assaisonnement et servez dans la cocotte.

CODA ALLA VACCHINARA

Queue de bœuf braisée

Pour faire ce plat, choisissez une queue de bœuf bien en chair. La sauce réduit tout au long de la cuisson, mais si par hasard il en reste, utilisez-la pour agrémenter un plat de pâtes.

1 kg de queue de bœuf, coupée en petits morceaux
Sel
Poivre
Farine
3 cuillères à soupe d'huile d'olive
1 petit oignon coupé fin
2 gousses d'ail coupées en petits morceaux
15 cl de vin blanc sec ou de vin rouge
30 cl de bouillon de bœuf
1 boîte (400 g) de tomates pelées
1 cuillère à café de concentré de tomate
1 branche de thym
1 feuille de laurier
3 clous de girofle
1 cœur de céleri coupé en fines lamelles

Abbacchio brodettato, Agnello con peperoni, Maiale allo spiedo

POUR 4 PERSONNES

Salez et poivrez la queue de bœuf, puis roulez-la dans la farine. Faites chauffer l'huile dans une cocotte et faites dorer la queue à feu vif, en tournant de temps à autre. Mettez-la sur une assiette.

Baissez le feu et faites revenir tout doucement l'oignon et l'ail, en tournant souvent ; ils doivent devenir dorés. Remettez la queue, ajoutez le vin et faites chauffer à feu vif jusqu'à ce que le vin ait réduit de moitié.

Ajoutez le bouillon, les tomates et leur jus, le concentré de tomate, le thym, le laurier et les clous de girofle. Portez à ébullition, couvrez, puis mettez la cocotte au four et laissez cuire 3 heures à 150° ; la queue doit être tendre. Pendant ce temps, couvrez le céleri d'eau bouillante et laissez mijoter 10 minutes ; égouttez-le.

Écumez la sauce dans la cocotte. Ajoutez-y le céleri et laissez cuire 30 minutes. Rectifiez l'assaisonnement avant de servir.

ABBACCHIO BRODETTATO

Agneau en sauce

L'abbacchio est un jeune agneau trop jeune pour avoir mangé de l'herbe ; pour faire cette recette, utilisez l'épaule bien maigre d'un jeune agneau de lait.

750 g d'épaule d'agneau désossée
50 g de lard maigre non fumé
30 g de saindoux
50 g d'oignons hachés
2 cuillères à soupe de farine
Sel

Poivre
4 cuillères à soupe de vin blanc
45 cl de bouillon ou d'eau
2 jaunes d'œufs
Jus de 1/2 citron
1 cuillère à soupe de persil haché
1/2 cuillère à café de marjolaine fraîche ou 1/4 de cuillère à café de marjolaine sèche

POUR 4 PERSONNES

Coupez la viande en cubes de 3 cm et le lard en petits morceaux. Faites fondre le saindoux dans une casserole et faites revenir les lardons. Ajoutez les oignons, la viande et faites-les dorer, en tournant de temps à autre.

Saupoudrez la farine, salez et poivrez, puis remuez bien. Ajoutez le vin blanc et laissez frémir jusqu'à ce qu'il soit évaporé, puis versez le bouillon ou l'eau, et portez à ébullition.

Couvrez et laissez mijoter doucement 45 minutes, en tournant de temps à autre ; la viande doit être tendre. Écumez le gras qui s'est formé à la surface de la sauce.

Peu de temps avant de servir, battez ensemble les jaunes d'œufs, le jus de citron, le persil et la marjolaine, puis versez dans ce mélange 3 cuillères à soupe du jus de cuisson de la viande. Versez le tout dans la cocotte et laissez cuire à feu doux sans cesser de tourner ; la sauce doit avoir suffisamment épaissi pour napper une cuillère en bois. Empêchez la sauce de bouillir, car elle se dissocierait. Rectifiez l'assaisonnement et servez aussitôt.

MAIALE ALLO SPIEDO

Brochettes de porc

500 g de filet de porc
2 ou 3 tranches de pain épaisses
100 g de jambon cru
8 feuilles de laurier coupées en deux
Huile d'olive
Sel
Poivre

POUR 4 PERSONNES

Découpez le porc en 12 morceaux.

Retirez la croûte du pain et coupez celui-ci en 12 cubes, d'à peu près la même grosseur que les cubes de viande. Retirez la couenne du jambon cru et coupez-le en 12 morceaux.

Répartissez tous ces ingrédients, ainsi que les feuilles de laurier, sur des brochettes, en les alternant. Disposez les brochettes sur un plat bien huilé. Salez-les et poivrez-les, versez dessus de l'huile en quantité.

Faites cuire 30 à 40 minutes à four chaud (200°) ; la viande doit être cuite et le pain croustillant et doré. Tournez les brochettes en cours de cuisson, afin qu'elles cuisent bien de tous côtés.

Servez chaud. Des tomates farcies ou des champignons accompagneront bien ce plat.

Toscane, Ombrie et Marches

D'un point de vue géographique, autant qu'historique, la Toscane se trouve au cœur de l'Italie. Au nord et à l'est, elle est encerclée par les Apennins, traversés par des vallées fertiles qui s'abaissent jusqu'à une longue plaine côtière bordant la mer Tyrrhénienne. Les Toscans descendent des Étrusques qui leur ont transmis un esprit d'indépendance et le goût de la bonne chère. Heureusement, ils habitent une région qui, grâce aux champs, aux rivières et à la mer, les fournit en produits de qualité.

L'évolution de cette région a été très lente, et la cuisine a gardé sa simplicité. La cuisine toscane s'est développée autour des produits locaux. Les bœufs de la vallée de Chiana donnent des biftecks, un des plats les plus fins de Florence. Sur les collines, on élève des troupeaux de porcs qui donneront d'excellentes charcuteries, du jambon, du salami et des saucisses. On trouve aussi beaucoup de poulets, et si vous allez sur les marchés vous trouverez des fruits et des légumes, et des herbes à profusion. Les herbes fraîches sont typiques de la cuisine toscane, qui utilise surtout le romarin, la sauge et le fenouil. Les épinards sont mélangés avec du ricota et du parmesan, pour faire de délicieux gnocchi verts (voir page 52) ; on utilise la même farce pour les cannelloni ou les ravioli. Le légume toscan par excellence est le haricot, utilisé frais plutôt que sec. On le retrouve dans tous les plats : dans d'épaisses soupes de légumes, avec du thon ou de la viande, et même seul.

L'Ombrie et les Marches ont des traditions culinaires communes avec la Toscane, elles ont également des spécialités qui leur sont propres, faites avec les produits locaux. Grâce à une côte très étendue sur l'Adriatique, les Marches s'enorgueillissent de soupes de poisson, comme le *brodetto* d'Ancône. L'Ombrie s'étend le long de l'Apennin, avec Pérouse et Assise au centre ; sa cuisine est à base de porc, de mouton, de veau, de petit gibier, ainsi que du poisson du lac Trasimène. La renommée de Norcia est due aux truffes noires, mais aussi à la *porchetta* (cochon de lait rôti) ; on y trouve les meilleurs jambons, saucissons et viandes fumées. En Ombrie, comme en Toscane, à l'occasion de nombreuses réunions familiales, on fait cuire un rôti de porc parfumé avec du romarin. La pêche est une activité importante et la côte est célèbre pour son *cacciucco,* un ragoût de poisson épicé.

La Toscane et l'Ombrie sont réputées pour leurs vins. Le grand vin rouge toscan est le chianti ; seul le vin produit dans une zone située entre Florence et Sienne peut être vendu comme *chianti classico.* Un chianti jeune et fruité accompagnera très bien un plat de pâtes, tandis qu'un chianti plus âgé, qui aura pris du corps, conviendra mieux pour les rôtis. Le grand vin d'Ombrie est le vin d'Orvieto, soit *secco* (sec) soit *abboccato* (doux).

RIBOLLITA

Soupe de légumes

Comme il faut beaucoup de temps pour préparer cette soupe, faites-la en grande quantité, et vous réchaufferez selon vos besoins.

230 g de haricots blancs, ayant trempé toute une nuit dans l'eau
5 cuillères à soupe d'huile d'olive
1 oignon haché
1 gousse d'ail écrasée
1 branche de céleri haché
2 poireaux coupés en julienne
500 g de chou vert finement coupé
1 branche de thym et 1 branche de romarin, liées ensemble
1 cuillère à soupe de concentré de tomate
Sel
Poivre
2 cuillères à soupe de persil haché
AU MOMENT DE SERVIR :
1 grosse tranche de pain coupée en dés que vous faites légèrement brunir au four

POUR 6 A 8 PERSONNES

Égouttez les haricots et mettez-les dans une casserole. Couvrez-les de 2 l d'eau froide, portez à ébullition, couvrez et laissez mijoter 3 heures ; ils doivent être tendres.

Quand les haricots sont presque cuits, faites chauffer 3 cuillères à soupe d'huile dans une grande casserole, et faites revenir environ 10 minutes l'oignon, l'ail et le céleri en remuant souvent. Ajoutez les poireaux, le chou, les herbes et remuez 3 à 4 minutes.

Égouttez les haricots et versez leur jus de cuisson sur les légumes, ainsi que le concentré de tomate ; salez et poivrez. Portez à ébullition et laissez mijoter 30 minutes. Ajoutez les haricots, et un peu d'eau si nécessaire et laissez mijoter jusqu'à ce que tous les légumes soient cuits.

Enlevez les herbes, rectifiez l'assaisonnement, et juste avant de servir, ajoutez le reste d'huile et le persil. Servez très chaud avec les morceaux de pain à part. Vous pouvez aussi accompagner cette soupe de fromage râpé.

CARCIOFI RIPIENI

Artichauts farcis

4 gros artichauts
30 g de beurre
3 cuillères à soupe d'huile
1 petit oignon haché fin
1 gousse d'ail écrasée
4 champignons de Paris coupés en tranches
Quelques petits bouquets de chou-fleur
2 cuillères à soupe de chapelure
1 cuillère à soupe de persil haché
Sel
Poivre
6 cuillères à soupe de vin blanc sec
Branches de persil pour décorer

POUR 4 PERSONNES

Coupez la queue des artichauts, de telle sorte qu'ils puissent tenir debout. Coupez-les au tiers de leur hauteur et creusez-les pour retirer le foin et les feuilles violettes, à l'aide d'une petite cuillère.

Dans une petite casserole, faites chauffer le beurre et 1 cuillère à soupe d'huile ; faites-y revenir doucement 5 minutes l'oignon, l'ail, les champignons et le chou-fleur, en tournant souvent. Ajoutez la chapelure, le persil, salez et poivrez. Remplissez les artichauts de ce mélange.

Faites chauffer le reste d'huile dans une grande casserole. Mettez-y les artichauts côte à côte. Ajoutez le vin, couvrez et laissez mijoter à feu doux 40 minutes à 1 heure ; les artichauts doivent être tendres. Décorez-les de brins de persil avant de servir.

Carciofi ripieni

TORTINO DI CARCIOFI

Omelette aux cœurs d'artichauts

Les artichauts, pour cette recette, doivent être tout petits, jeunes et tendres. Si vous n'en trouvez pas, utilisez des cœurs d'artichauts en boîte.

8 petits artichauts ou cœurs d'artichauts
  en boîte bien égouttés
Farine
2 cuillères à soupe d'huile d'olive
6 œufs
Sel
Poivre

POUR 4 PERSONNES

Beurrez un plat à gratin de 20 cm de diamètre, ou quatre ramequins individuels, et faites-le chauffer au four à 200°.

Ôtez les queues et les feuilles les plus dures des artichauts, coupez le bout des feuilles, puis coupez les artichauts en quatre. Retirez le foin. Si vous utilisez des cœurs d'artichauts en boîte, coupez-les en quatre. Saupoudrez de farine. Faites chauffer l'huile dans une poêle et faites revenir les artichauts en les retournant souvent. Ils doivent être dorés.

Cassez les œufs dans une jatte, salez, poivrez et battez-les. Étalez les artichauts dans le fond du plat préchauffé, nappez avec les œufs et faites cuire 10 minutes dans la partie supérieure du four ; les œufs doivent être légèrement pris.

Passez-les quelques secondes sous le gril, pour qu'ils soient dorés et croustillants. Servez aussitôt.

Ribollita

CROSTINI ALLA FIORENTINA

Croûtes aux foies de volaille

Vous pouvez aussi bien servir ce plat comme hors-d'œuvre que comme encas. A moins que vous n'en ayez l'habitude, n'employez la sauge que modérément.

230 g de foies de volaille
40 g de beurre
1 petite échalote hachée fin
3-4 feuilles de sauge
Poivre
8 tranches de pain de 1/2 cm d'épaisseur
Beurre
Quelques gouttes de jus de citron
1 cuillère à soupe de persil haché

Crostini alla fiorentina

POUR 4 PERSONNES

Nettoyez les foies et retirez les petits vaisseaux ou les parties décolorées ; puis coupez-les fin. Faites fondre le beurre dans une petite casserole et faites revenir 5 minutes l'échalote et les feuilles de sauge. Retirez les feuilles de sauge.

Ajoutez les foies et poivrez ; faites cuire doucement en tournant fréquemment les foies, jusqu'à ce qu'ils ne soient plus roses. Pendant ce temps, faites revenir les tranches de pain dans du beurre de chaque côté ; elles doivent être dorées et croustillantes. Égouttez sur du papier absorbant. Versez un peu de jus de citron, rectifiez l'assaisonnement ; étalez les foies sur les tranches de pain et saupoudrez de persil. Servez aussitôt.

FAGIOLI TOSCANI COL TONNO

Haricots à la toscane

En Toscane, ce hors-d'œuvre nourrissant est composé de haricots frais, de thon de très bonne qualité et d'huile d'olive de qualité supérieure.

180 g de haricots blancs ayant trempé dans l'eau toute une nuit
1 petit oignon coupé en tranches fines
Huile d'olive pour l'assaisonnement
Sel
Poivre
1 boîte (200 g) de thon à l'huile
Persil haché pour décorer

POUR 3 A 4 PERSONNES

Égouttez les haricots, mettez-les dans une casserole ; couvrez d'eau froide. Portez à ébullition, couvrez et laissez mijoter 2 1/2 à 3 heures ; ils doivent être tendres. Égouttez et, pendant qu'ils sont encore chauds, mélangez-les avec l'oignon et l'huile d'olive ; salez et poivrez.

Quand ils ont refroidi, ajoutez le thon, saupoudrez de persil et servez.

FINOCCHIO ALLA FIORENTINA

Cœurs de fenouil

Les cœurs de fenouil ont un délicieux parfum d'anis ; vous pouvez les servir seuls ou avec de la viande.

4 cœurs de fenouil moyens
1 cuillère à soupe d'huile d'olive
1 gousse d'ail
1 tranche de citron
1 pincée de sel
30 g de beurre
2 cuillères à soupe de parmesan râpé
Poivre

POUR 4 PERSONNES

Coupez les deux extrémités des cœurs de fenouil et retirez les parties abîmées. Passez-les sous l'eau froide et coupez-les en quartiers.

Mettez le tout dans une casserole contenant assez d'eau pour le recouvrir. Ajoutez l'huile, l'ail, le citron et le sel. Portez à ébullition, couvrez et laissez mijoter 20 minutes ; ils doivent être tendres.

Faites fondre le beurre dans un plat à gratin. Égouttez les cœurs de fenouil, posez-les dans le plat ; tournez, afin qu'ils soient bien nappés de beurre. Saupoudrez de fromage et poivrez. Passez quelques minutes sous le gril avant de servir.

Fagioli toscani col tonno, Finocchio alla fiorentina (à droite)

TRIGLIE ALLA MARINARA

Rouget grillé

On trouve le rouget en abondance sur la côte toscane ; le faire griller est une des meilleures façons de le déguster. Vous pouvez préparer de la même façon d'autres poissons, soit en les passant sous le gril, soit en les faisant cuire dehors sur un barbecue.

4 rougets, d'environ 220 g chacun
3 cuillères à soupe d'huile d'olive
1 pincée de sel
Poivre
4 gousses d'ail coupées en tranches
30 g de chapelure
Quartiers de citrons pour décorer

POUR 4 PERSONNES

Demandez à votre poissonnier de vider les rougets, mais en leur laissant la tête. Mettez l'huile, le sel et le poivre dans un plat creux, où vous ferez mariner les poissons 1 heure en les retournant une fois.

Égouttez-les en gardant la marinade, et mettez un peu d'ail à l'intérieur des poissons. Faites-les griller sur un feu modéré 6 à 8 minutes de chaque côté.

Environ 3 minutes avant la fin de la cuisson, saupoudrez les poissons de chapelure et arrosez-les de marinade, puis terminez la cuisson. Servez chaud, décoré avec les quartiers de citron.

POLLO AL MATTONE

Poulet à la toscane

On ne peut pas vraiment traduire cette façon typique de cuire le poulet. Un *mattone* est un plat rond en terre cuite, recouvert d'un couvercle très lourd. Pour obtenir à peu près le même résultat, utilisez une poêle que vous recouvrirez d'un couvercle plat et lourd, plus petit que la poêle, de sorte qu'il appuie sur le poulet. Souvent, à la place de romarin et de feuilles de laurier, les Toscans mettent 3 ou 4 feuilles de sauge fraîche sur le poulet pendant la cuisson.

1 poulet d'environ 1 kg
3 cuillères à soupe d'huile d'olive
1 grosse gousse d'ail écrasée
1 feuille de laurier en morceaux
1 branche de romarin
1 pincée de sel
Poivre
Le jus de 1/2 citron

POUR 2 PERSONNES

Coupez le poulet en deux ; retirez les os de la carcasse. Essayez d'aplatir le plus possible les morceaux désossés. Disposez dans un plat creux. Mélangez tous les autres ingrédients, à l'exception du jus de citron, et versez le tout sur le poulet. Laissez mariner 2 à 3 heures en retournant une fois les morceaux.

Huilez le *mattone* ou la poêle et faites chauffer doucement. Mettez les morceaux de poulet, puis pressez avec un couvercle lourd. Faites cuire à feu doux 30 à 40 minutes ; le poulet doit être doré et tendre.

Versez le jus de citron sur le poulet et servez chaud, accompagné d'une salade verte ou d'épinards arrosés du jus de cuisson du poulet.

Sel
Poivre
2 gousses d'ail écrasées
2 cuillères à soupe d'huile d'olive
2 cuillères à soupe de persil haché
20 cl de chianti ou de vin rouge léger

POUR 4 PERSONNES

Dégraissez s'il y a lieu les côtes ; salez et poivrez. Faites chauffer l'huile dans une grande poêle profonde et faites dorer les côtes 3 à 4 minutes de chaque côté, puis posez-les à part sur une assiette.

Mettez l'ail et le persil dans la poêle, faites-les revenir 1 à 2 minutes, puis versez le vin et portez à ébullition. Remettez les côtes dans la poêle, couvrez et laissez mijoter 30 à 35 minutes ; elles doivent être tendres.

Disposez-les sur un plat de service chaud. Portez la sauce rapidement à ébullition, laissez réduire de moitié, puis versez-la sur les côtes. Accompagnez de pommes de terre à la crème ou de riz. Servez ce plat avec un chianti.

COLOMBI SELVATICI COI PISELLI

Pigeons aux petits pois

Bien que souvent en Toscane on fasse cuire les petits oiseaux entiers, sans les vider, il vous faut pour cette recette des pigeons bien dodus, qui auront été vidés.

4 jeunes pigeons
Sel
Poivre
30 g de beurre
2 cuillères à soupe d'huile
1 oignon haché
80 g de lard fumé, découenné et coupé en morceaux
15 cl de vin blanc sec
30 cl de bouillon de poule
450 g de petits pois frais
1/2 cuillère à café de sucre

POUR 4 PERSONNES

Salez et poivrez les pigeons à l'intérieur et à l'extérieur.

Dans une grande cocotte, faites chauffer l'huile et le beurre ; faites dorer doucement l'oignon et les lardons. Augmentez le feu, faites dorer les pigeons environ 15 minutes en les tournant de temps à autre.

Versez le vin, portez à ébullition et laissez-le réduire de moitié. Ajoutez le bouillon, portez à ébullition, couvrez et laissez mijoter doucement 1 heure 1/4 à 1 heure 1/2 ; les pigeons doivent être presque tendres. Agitez la cocotte de temps à autre, assurez-vous qu'il y ait assez de liquide et ajoutez du bouillon si nécessaire.

Ajoutez les petits pois et le sucre, salez, couvrez et laissez mijoter doucement 20 minutes ; les pigeons et les petits pois doivent être tendres.

Pollo al mattone, Colombi selvatici coi piselli (à gauche) ; Braciole di maiale ubriaco (ci-dessous)

BRACIOLE DI MAIALE UBRIACO

Côtes de porc au vin

Ce plat toscan très populaire requiert bien évidemment un chianti jeune.

4 côtes de porc maigre, d'environ 2 cm d'épaisseur

LINGUA IN SALSA AGRODOLCE

Langue à la sauce aigre-douce

La tradition italienne d'utiliser des aliments dans de la sauce aigre-douce vient des Romains ; elle accompagne particulièrement bien les viandes salées. Vous pouvez cuire la langue à l'avance ou bien l'acheter précuite et la réchauffer dans la sauce.

1 langue de bœuf de 1,30 kg, légèrement salée
1 gros oignon coupé en tranches
2 carottes râpées
2 branches de céleri coupées en rondelles
12 grains de poivre
1 feuille de laurier
1 branche de thym
SAUCE :
3 cuillères à soupe d'huile
1 petit oignon haché fin
50 g de farine
90 cl de bouillon de bœuf
2 cuillères à soupe de gelée de groseilles
4 cuillères à soupe de vinaigre de vin
50 g de sucre roux
2 cuillères à soupe de raisins de Smyrne
2 cuillères à soupe de pignons ou d'amandes effilées
1 zeste finement râpé d'une grosse orange
1 pincée de clous de girofle râpés

POUR 6 A 8 PERSONNES

Faites tremper la langue dans l'eau froide plusieurs heures. Égouttez ; mettez-la dans une cocotte, couvrez d'eau froide et amenez doucement à ébullition. Égouttez à nouveau, remettez-la dans la cocotte et couvrez d'eau fraîche.

Ajoutez l'oignon, les carottes, le céleri, les grains de poivre, la feuille de laurier et le thym ; couvrez et laissez mijoter 3 1/2 heures environ ; la viande doit être tendre. Laissez-la dans l'eau 30 minutes ; égouttez, retirez la peau et la gorge, si c'est nécessaire.

Pendant ce temps, préparez la sauce. Faites chauffer l'huile dans une casserole et faites fondre doucement l'oignon. Ajoutez la farine et laissez cuire, tout en remuant, jusqu'à ce que l'en-

GNOCCHI VERDI

Lingua in salsa agrodolce, Gnocchi verdi

Gnocchi aux épinards

Parmi tous les *gnocchi*, les *gnocchi verdi* peuvent se préparer à l'avance. On les trouve souvent en Toscane sous le nom de ravioli.

500 g d'épinards
Sel
230 g de ricotta ou de fromage blanc non lissé
Poivre
1 pincée de noix de muscade râpée
15 g de beurre
2 œufs légèrement battus
40 g de parmesan râpé
50 g de farine
POUR SERVIR :
50 g de beurre
30 g de parmesan râpé

POUR 4 PERSONNES

Préparez les épinards et lavez-les à l'eau froide. Mettez-les dans une grande casserole avec une pincée de sel. Faites cuire 10 à 15 minutes à feu doux en tournant constamment ; ils doivent être tendres. Égouttez, pressez et hachez finement.

Remettez-les dans la casserole, ajoutez la ricotta, le sel, le poivre, la noix de muscade et le beurre. Mélangez bien à feu doux 3 à 4 minutes. Retirez du feu, et ajoutez en battant les œufs, le parmesan et la farine ; mélangez bien. Laissez refroidir dans un endroit frais ; le mélange doit devenir ferme.

A l'aide d'une cuillère à soupe, puisez dans le mélange et faites des boulettes dans vos mains farinées.

Jetez les boulettes une à une dans l'eau bouillante salée. Quand elles remontent à la surface et qu'elles sont bien gonflées, retirez-les avec une écumoire et égouttez-les sur du papier absorbant. Mettez-les dans un plat à four bien beurré et tenez-les au chaud.

Quand elles sont toutes cuites, faites chauffer le beurre jusqu'à ce qu'il devienne noisette, versez-le sur les gnocchi et saupoudrez de parmesan. Servez aussitôt ou laissez encore 5 minutes au four.

semble prenne une couleur dorée. Ajoutez le bouillon d'un seul coup et la gelée de groseille. Faites chauffer, sans cesser de tourner, jusqu'à ce que la sauce soit homogène et commence à bouillir. Ajoutez tous les autres ingrédients, couvrez et laissez mijoter 30 minutes.

Découpez la langue en tranches minces que vous disposerez dans un plat à four creux ; versez la sauce dessus. Couvrez et laissez 30 minutes à four moyen (160º). La viande doit s'imbiber de sauce.

PANFORTE DI SIENA

Gâteau siennois

Ce gâteau a l'aspect du nougat ; il est riche en fruits confits, en amandes grillées et en épices ; c'est une spécialité siennoise.

80 g de noisettes
80 g d'amandes émondées coupées grossièrement
180 g de fruits confits coupés fin
30 g de noix de coco en poudre
50 g de farine
1/4 de cuillère à café de cannelle
100 g de sucre en poudre
100 g de miel
POUR NAPPER :
2 cuillères à soupe de sucre glace
1 cuillère à café de cannelle

POUR FAIRE 8 A 12 PARTS

Étalez les noisettes sur une plaque à pâtisserie et mettez-les 5 à 10 minutes à four chaud (190º) ; leur peau doit se fissurer et elles doivent être légèrement grillées. Quand elles sont suffisamment refroidies, roulez-les dans un linge pour retirer la peau, puis coupez-les grossièrement. Mettez les noisettes, la noix de coco, la farine, la cannelle, dans une jatte et mélangez bien.

Versez le sucre et le miel dans une petite casserole ; laissez frissonner doucement ; quand une goutte de ce mélange plongée dans l'eau froide

Panforte di Siena

forme une boule molle, enlevez du feu immédiatement, ajoutez le contenu de la jatte et mélangez bien.

Versez dans un moule beurré de 20 cm de diamètre sur 1 cm d'épaisseur et égalisez bien la pâte. Faites cuire 30 à 35 minutes à four moyen 160º.

Laissez refroidir et saupoudrez le gâteau de sucre glace et de cannelle. Découpez au moment de servir.

Émilie-Romagne

L'Émilie-Romagne se trouve dans le Nord de la botte italienne et s'étend de la Ligurie à la côte adriatique. Elle est une des régions les plus fertiles d'Italie ; elle produit des fruits, des légumes, des céréales et du raisin en quantité. Les habitants de cette région aiment particulièrement faire la cuisine et la déguster.

La capitale de cette région, Bologne, est une ancienne ville universitaire ; on trouve une large variété de charcuteries et de fromages. Il est aussi très difficile de faire son choix parmi les restaurants. Les Bolonais ont une façon particulière de faire la pâte aux œufs et de la tourner pour en faire des *tortellini,* ces petits anneaux farcis qui constituaient traditionnellement un plat pour Noël. Il existe de multiples légendes dans la région pour revendiquer la création de ce plat. La pâte découpée en rubans deviendra des tagliatelles, ou bien, coupée en rectangles, des lasagne.

Le merveilleux marché de Parme est renommé pour sa spécialité : le *prosciutto di Parma,* ce jambon tendre, parfumé et savoureux, agréable à déguster coupé en tranches très fines et accompagné de melon ou de figues fraîches. On trouve d'autres spécialités à base de viande de porc : le *zampone* (pied de porc farci de chair à saucisse bien relevée) et le *cotechino* (saucisse préparée avec la même farce que le *zampone*). Ces deux produits viennent de Modène ; on peut aujourd'hui les acheter précuits dans les magasins d'alimentation. Signalons aussi la mortadelle et le salami.

La région située entre Parme et Modène produit le parmesan et le fait vieillir. Mangé frais, il a un délicieux goût piquant ; au bout de deux ou trois ans, il est bon à utiliser dans la cuisine. Un parmesan vieilli, râpé très fin et saupoudré en petites quantités, fera ressortir le goût d'un plat. Mais il perd de son goût quand on le râpe ; il faut par conséquent l'acheter en morceaux et le râper au moment de l'utiliser. Si vous l'enveloppez dans un sac en polyéthylène, il se gardera très bien au réfrigérateur. Si vous passez à Ravenne ou si vous faites un circuit tout le long de la côte, arrêtez-vous pour déguster le *brodetto* (sorte de bouillabaisse faite avec les poissons locaux) ou bien le poisson et les coquillages en brochettes, cuites devant vous sur le barbecue.

L'Émilie-Romagne produit quelques vins rouges légers et des vins blancs ; on les consomme sur place.

PROSCIUTTO CON MELONE

Melon au jambon de Parme

Rien ne peut être comparé au délicieux jambon de Parme. On le sert toujours en tranches fines comme du papier à cigarettes ; le melon fait ressortir son parfum. Il accompagne aussi très bien des figues fraîches bien mûres.

1 melon bien mûr
6 à 8 tranches fines de jambon de Parme

POUR 6 A 8 PERSONNES

Mettez le melon à glacer. Coupez-le en 6 ou 8 parts et épépinez-le. Servez chaque portion de melon accompagnée d'une tranche de jambon.

CARCIOFI IN SALSA

Salade de cœurs d'artichauts

Vous pouvez utiliser les cœurs de petits artichauts que vous aurez faits cuire, ou bien, si vous disposez de peu de temps, utilisez des cœurs d'artichauts en boîte.

4 cuillères à soupe d'huile d'olive
1 cuillère à soupe de jus de citron
1 cuillère à café d'oignon râpé
1 petite feuille de laurier
Sel
Poivre
16 cœurs d'artichauts
1 cuillère à soupe de persil haché

POUR 4 PERSONNES

Dans une jatte, mélangez l'huile, le jus de citron, l'oignon et la feuille de laurier ; salez et poivrez à votre goût. Ajoutez les cœurs d'artichauts, mélangez délicatement et mettez à glacer 1 à 2 heures au réfrigérateur, en tournant de temps en temps.

Disposez les artichauts sur un plat et versez l'assaisonnement. Saupoudrez de persil haché.

PASSATELLI IN BRODO ALL' EMILIANA

Bouillon à l'émilienne

En Émilie, on utilise une passatelli pour faire ces pâtes, mais vous pouvez très bien utiliser une passoire en métal, dont les trous ont le diamètre des spaghetti.

1,2 l de bouillon de poule ou de viande
30 g de chapelure
30 g de parmesan râpé
1 cuillère à café de farine
1 œuf battu
20 g de beurre ramolli
Sel
Poivre
1 pincée de noix de muscade râpée
Persil haché pour décorer

POUR 4 PERSONNES

Portez le bouillon à ébullition dans une grande cocotte. Mettez dans une jatte la chapelure, le fromage, la farine, le beurre, l'œuf, le sel, le poivre et la noix de muscade. Travaillez ce mélange jusqu'à l'obtention d'une pâte.

Pressez la pâte à travers les trous de la passoire que vous aurez placée au-dessus de la cocotte ; la pâte tombe directement dans le bouillon frémissant. Laissez mijoter 2 minutes, jusqu'à ce que les pâtes remontent à la surface. Ajoutez le persil.

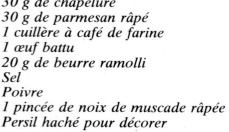

Prosciutto con melone (à gauche) ; Passatelli in brodo all'emiliana, Carciofi in salsa (à droite)

PASTA ALL' UOVO

Pâtes aux œufs

Voici la recette de base pour préparer les pâtes plates telles qu'on les trouve communément dans toute l'Italie du Nord. Faites de petites quantités, qui seront faciles à couper selon la forme désirée, ou bien que vous farcirez.

230 g de farine
2 gros œufs
1 cuillère à café d'huile
1 pincée de sel
Un peu d'eau (selon le besoin)

POUR ENVIRON 350 G DE PÂTES

Mettez la farine sur le plan de travail et faites un puits au milieu. Cassez les œufs, ajoutez l'huile, le sel et mélangez du bout des doigts. Ramenez peu à peu la farine vers le centre et pétrissez, jusqu'à ce que vous obteniez une pâte grumeleuse. Pétrissez bien cette pâte ; elle devient homogène ; ajoutez un peu d'eau si elle vous paraît trop sèche.

Saupoudrez le plan de travail, ainsi que vos mains, de farine et pétrissez fortement la pâte 10 minutes environ ; elle doit devenir élastique. Enveloppez-la dans un sac en polyéthylène et laissez reposer 1 heure.

Étalez la pâte sur une surface farinée, jusqu'à ce qu'elle soit très fine. Saupoudrez de farine et laissez reposer 20 minutes ; elle sèchera un peu et aura moins tendance à coller. C'est seulement à ce moment-là que vous pouvez la découper selon la forme voulue.

POUR ENVIRON 400 G DE PÂTES PASTA VERDE :

La *pasta verde* a une très jolie couleur vert pâle, avec des endroits vert foncé. Utilisez la recette de base ci-dessus, mais ajoutez aux œufs 50 g d'épinards cuits, que vous aurez pressés et coupés fin ou passés à la moulinette. Mélangez bien, roulez et coupez comme ci-dessus. La pâte verte a tendance à coller un peu plus, par conséquent il est nécessaire de fariner plus abondamment le plan de travail.

TALIARINI, TAGLIATELLES OU FETTUCCINE :

Étalez la pâte sur une épaisseur très mince, puis roulez-la sur elle-même. Découpez ce rouleau tous les 3 mm pour les *taliarini*, tous les 5 mm pour les tagliatelles ou les *fettuccine* ; déroulez-les avant qu'elles ne se collent.

LASAGNE :

Découpez la pâte en bandes de 1 cm de large ou bien en rectangles d'environ 7 × 13 cm.

CANNELLONI :

Découpez la pâte en rectangles d'environ 7 × 10 cm.

CUISSON DES PÂTES :

Plongez les pâtes dans une grande quantité d'eau bouillante salée. Re-

Préparation des tortellini avec la pasta all'uovo

muez une ou deux fois, afin qu'elles ne collent pas et laissez-les jusqu'à ce qu'elles soient tendres, mais encore un peu fermes (*al dente*) ; il faut environ de 5 à 10 minutes. Ajoutez de l'eau froide pour empêcher que la cuisson ne continue, égouttez-les et utilisez-les à votre convenance.

La pâte inutilisée peut être conservée dans un sac en polyéthylène et gardée toute la nuit au réfrigérateur ou bien être congelée pendant 1 mois.

TORTELLINI

Ces pâtes farcies sont souvent servies pour les dîners d'occasion en Émilie-Romagne. Bien qu'elles soient meilleures si vous les servez dans un consommé, elles sont parfois servies avec le *ragù bolognese,* ou bien tout simplement avec du beurre, de la crème ou du fromage râpé.

40 g de beurre
180 g de blanc de dinde coupé en tranches
80 g de jambon cuit
80 g de mortadelle
4 cuillères à soupe de parmesan râpé
2 œufs battus
Sel
Poivre
1 portion de pâte « faite maison »
POUR SERVIR :
1,2 l de bouillon de poule
1-2 cubes de poule au pot
Parmesan râpé

Tagliatelle alla bolognese

POUR 4 PERSONNES

Faites fondre le beurre et faites dorer doucement les tranches de dinde. Passez la dinde, le jambon et la mortadelle au mixer. Ajoutez le fromage, les œufs, salez et poivrez ; mélangez bien, afin d'obtenir une pâte homogène. Couvrez et mettez au réfrigérateur.

Étalez la pâte sur une épaisseur très fine ; donnez-lui la forme d'un grand carré. Saupoudrez de farine et laissez sécher 15 à 20 minutes. Découpez des ronds à l'aide d'un verre retourné et placez au centre de chaque rond un peu du mélange de dinde. Pliez en deux et pressez fortement le pourtour, puis arrondissez la base rectiligne des tortellini en les incurvant autour de votre doigt.

Portez le bouillon à ébullition et ajoutez les cubes de poule au pot. Plongez les tortellini dans le liquide et laissez frémir 5 minutes, en remuant de temps à autre. Retirez du feu, couvrez et laissez 20 à 30 minutes. Au moment de servir, disposez les tortellini dans les assiettes à soupe, ajoutez un peu de consommé et de fromage râpé.

TAGLIATELLE ALLA BOLOGNESE

Tagliatelles à la bolognaise

Préparez votre sauce à l'avance. Il n'est pas nécessaire de la préparer en petite quantité, car elle se congèle très bien.

500 g de tagliatelles (voir page 58)
40 g de beurre
Ragù bolognese (voir recette suivante)
Parmesan râpé

POUR 4 A 6 PERSONNES

Faites cuire les tagliatelles à l'eau bouillante salée environ 10 minutes ; elles doivent être juste tendres, mais encore *al dente.* Faites-les cuire seulement 5 minutes, s'il s'agit de tagliatelles « faites maison ». Égouttez-les dans une passoire.

Faites fondre le beurre dans un plat de service profond où vous mettrez les tagliatelles. Ajoutez 4 cuillères à soupe de sauce bolognaise et un peu de fromage ; mélangez jusqu'à ce que les pâtes soient bien imbibées. Mettez le reste de la sauce au milieu du plat et servez avec du fromage râpé à part.

RAGÙ BOLOGNESE

Sauce bolognaise

C'est la sauce italienne la plus célèbre ; elle connaît de nombreuses variantes. Elle est plus riche que la sauce à la viande de Calabre (voir page 24) ; à Bologne on la sert généralement avec des tagliatelles ou des lasagne.

20 g de beurre
1 oignon haché fin
1 petite carotte hachée fin
1 branche de céleri hachée fin
3 tranches de lard fumé, découenné et haché fin
350 g de bœuf haché
100 g de foie de poulet haché fin
4 cuillères à soupe de vin blanc sec
30 cl de bouillon de bœuf
1 cuillère à soupe de concentré de tomate
Noix de muscade râpée
Sel
Poivre
3 cuillères à soupe de crème fraîche ou 30 g de beurre (facultatif)

POUR 6 PERSONNES

Faites fondre le beurre dans une poêle. Faites dorer environ 10 minutes les légumes et le lard. Ajoutez le bœuf et faites-le revenir en remuant, jusqu'à ce qu'il commence à dorer.

Ajoutez les foies de poulet et laissez-les revenir 1 à 2 minutes ; ajoutez le vin et laissez frémir jusqu'à son évaporation complète. Versez le bouillon, le concentré de tomate, la noix de muscade, salez et poivrez. Portez à ébullition, couvrez et laissez mijoter 45 minutes à 1 heure en tournant de temps en temps.

Au moment de servir, versez la crème et rectifiez l'assaisonnement.

LASAGNE AL FORNO

Lasagne au four

Ce plat délicieux fait avec du *ragù* et une béchamel permet aux pâtes de rester crémeuses sous une croûte dorée. Il prend du temps à préparer, aussi doublez les quantités, vous pourrez ainsi en congeler une partie.

1 portion de ragù bolognese, mais sans crème (voir page 59)
230 g de lasagne
Sel

SAUCE BÉCHAMEL :
40 g de beurre
40 g de farine
60 cl de lait chaud
4 cuillères à soupe de crème fraîche
1 pincée de noix de muscade râpée
50 g de parmesan fraîchement râpé

Pinoccate, Petti di pollo alla bolognese (ci-dessous) ; Lasagne al forno (en haut, à droite)

POUR 7 A 8 PERSONNES

Préparez la sauce bolognaise à l'avance. Plongez les lasagne dans l'eau bouillante salée, en tournant de temps en temps pour les empêcher de coller, 5 minutes si elles sont faites maison, ou bien selon les indications du paquet. Dès que les lasagne sont cuites, ajoutez de l'eau froide dans la casserole pour arrêter la cuisson. Versez-les dans une passoire, puis égouttez-les côte à côte sur du papier absorbant.

Pour faire la sauce béchamel, faites fondre le beurre dans une casserole, ajoutez la farine et laissez cuire 1 minute. Retirez du feu, versez le lait et la crème, en fouettant continuellement. Reportez la casserole sur le feu et remuez jusqu'à ce que la sauce soit épaisse ; puis laissez mijoter 2 à 3 minutes. Salez et mettez de la noix de muscade.

Beurrez un plat à gratin. Nappez le fond d'une couche de sauce bolognaise que vous couvrirez d'une couche de lasagne, puis d'une couche de béchamel ; saupoudrez de parmesan. Répétez jusqu'à épuisement des ingrédients et terminez par une couche de béchamel que vous saupoudrerez généreusement de fromage.

Vous pouvez les garder au réfrigérateur ou bien les faire cuire 30 minutes à four moyen (180°) ; elles doivent être chaudes à l'intérieur et bien dorées sur le dessus.

PETTI DI POLO ALLA BOLOGNESE

Poitrine de poulet au jambon et au fromage

C'est un plat délicieux et facile à préparer, que vous pouvez faire avec de la dinde ou une escalope de veau. Vous pouvez utiliser du jambon cuit à la place du prosciutto.

4 blancs de poulet
Sel
Poivre
Farine
50 g de beurre
1 cuillère à soupe d'huile d'olive
4 fines tranches de prosciutto
4 cuillères à soupe de parmesan râpé

2 cuillères à soupe de persil haché
4 cuillères à soupe de bouillon de poule
Pointes d'asperges pour décorer

POUR 4 PERSONNES

Enlevez la peau et les os des morceaux de poulet. Mettez-les entre deux papiers sulfurisés ; tapez pour bien les aplatir. Salez, poivrez et saupoudrez de farine.

Faites chauffer le beurre et l'huile dans une poêle et faites dorer de tous les côtés les morceaux de poulet. Sur chaque morceau, disposez une tranche de prosciutto, saupoudrez généreusement de fromage et de persil. Mouillez avec le bouillon, couvrez et laissez cuire 5 minutes.

Disposez les morceaux sur un plat de service, nappez-les de sauce, et garnissez-les de pointes d'asperges. Accompagnez d'une salade verte.

PINOCCATE

Gâteaux aux amandes et aux pignons

80 g d'amandes en morceaux
200 g de sucre en poudre
Quelques gouttes d'extrait de vanille
1 pincée de sel
2 blancs d'œuf
100 g de pignons

POUR 20 A 24 GÂTEAUX

Réduisez les amandes et la moitié du sucre en poudre fine, à l'aide d'un pilon ; passez ce mélange environ 1 minute au mixer électrique. Mettez-le dans une jatte avec la vanille.

Mettez la pincée de sel dans les blancs d'œuf et battez-les en neige légèrement, puis, tout en continuant de fouetter, ajoutez peu à peu le reste du sucre. Incorporez délicatement les blancs d'œufs dans le mélange d'amandes.

Étalez les pignons sur du papier sulfurisé. A l'aide d'une cuillère, versez dessus le mélange d'amandes, puis roulez-le, afin qu'il soit recouvert de pignons. Beurrez et farinez une plaque à pâtisserie, puis disposez les morceaux de pâte aux pignons, en les séparant d'environ 2,5 cm. Faites cuire environ 10 minutes à four chaud (200º). Les gâteaux doivent être dorés.

Ligurie

Cette mince bande côtière ensoleillée est souvent considérée comme la Riviera italienne. Le port de Gênes se trouve au centre de la région, limitée par l'Apennin sur le versant italien et par les Alpes sur le versant français. Le climat, chaud et tempéré, permet la croissance d'une végétation luxuriante d'une exceptionnelle beauté. La tradition maritime de Gênes explique le goût de ses habitants pour les légumes et les herbes : Christophe Colomb disait qu'après de longues traversées en mer, les marins se régalaient de légumes verts frais. A l'inverse de ceux de Venise, cet autre port qui faisait le commerce des épices avec l'Extrême-Orient, les marchands génois utilisaient rarement les épices dans la cuisine ; ils préféraient les vendre. Leur cuisine utilise les herbes, les légumes, l'huile d'olive et la très grande variété de poissons et de coquillages, pêchés le long de la côte.

Le persil, l'origan, l'aneth, la sauge et le romarin contribuent à la saveur de la cuisine ligurienne, mais l'herbe de base de cette région est le basilic. Le basilic vert, très épicé, est la base d'une sauce, *il pesto*, qui doit son nom au pilon utilisé pour broyer les herbes et les noix. Le *pesto*, généralement désigné sur les menus par *alla genovese*, accompagne les pâtes ou les *gnocchi* (voir page 66) ; on le met aussi dans le *minestrone* qui contient une grande variété de légumes. Les oliviers poussent à la fois dans des oliveraies et dans des jardins particuliers. Les olives que l'on ramasse chez soi sont portées au pressoir local. L'huile d'olive est verte et fruitée.

Les plats de poisson génois sont difficiles à exécuter ailleurs, car ils se font avec les poissons méditerranéens, comme pour *la burrida* (soupe de poisson) ou *il datteri di mare*. On utilise le calamar et la seiche pour *il zimino*, un autre ragoût de poisson qui contient également des feuilles de betterave. Tous ces plats ont un goût inoubliable quand on les déguste sur place.

Les autres spécialités sont *la cima,* qui est de la poitrine de veau roulée avec une farce composée de viandes hachées, de ris de veau, de petits pois et de pistaches ; *la torta pasqualina* est une tarte aux légumes garnie d'artichauts, d'épinards, d'œufs et de fromage ; *li bigne di pesci misti* sont de petits beignets de poisson ; *la sardenara* est une pizza garnie d'un mélange d'oignons et de tomates, recouvert d'olives et d'anchois ; *il capon magro* consiste en une énorme pyramide de légumes cuits et de poisson. La Ligurie produit un agréable vin blanc, mais on conseille généralement un excellent vin du Piémont.

ZUCCHINI RIPIENI

Courgettes farcies

Ces délicieuses courgettes farcies constituent un excellent légume, ou bien un plat unique. Vous pouvez les présenter sur un grand plat rond avec des champignons farcis (voir page 20) ou bien avec des tomates farcies (voir page 12), au milieu du plat.

6 courgettes d'environ 13 cm de long
Sel
30 g de mie de pain
100 g de ricotta ou de fromage blanc
  non lissé
1 pincée d'origan
1 gousse d'ail écrasée
40 g de parmesan râpé
1 jaune d'œuf
Poivre
Lait

POUR 3 A 4 PERSONNES

Coupez les queues des courgettes et lavez-les. Plongez-les dans l'eau bouillante salée ; laissez-les 5 minutes et égouttez. Pendant ce temps, faites tremper la mie de pain dans un peu de lait ; quand elle est bien imbibée, pressez-la. Coupez les courgettes en deux dans le sens de la longueur et évidez le centre de chaque morceau à l'aide d'une cuillère.

Hachez menu le centre des courgettes, mettez-les dans une jatte avec la mie de pain, la ricotta, l'origan, l'ail, le parmesan, le jaune d'œuf, du poivre et du sel. Mélangez bien ; vous devez obtenir une pâte pas trop dure. Ajoutez un peu de lait si nécessaire.

Remplissez les courgettes de ce mélange en lissant bien la surface, afin qu'elle soit plate. Disposez-les l'une à côté de l'autre dans un plat à gratin huilé.

Faites-les cuire 35 minutes à four chaud (190°) ; les courgettes doivent être tendres et la farce dorée.

Frittata con spinaci, Insalata di funghi, Zucchini ripieni

FRITTATA CON SPINACI

Omelette aux épinards

Une *frittata* est une omelette cuite et servie comme une crêpe, c'est-à-dire sans être pliée. Vous pouvez l'accommoder avec toute sorte de légumes hachés ou du jambon. On utilise surtout les épinards en Ligurie. Les épinards doivent être égouttés ; puis faites-les revenir dans du beurre.

En Italie on sert souvent *la frittata* comme garniture avec les escalopes de veau.

230 g d'épinards frais
Sel
Poivre
1 pincée de noix de muscade
30 g de beurre
3 œufs

POUR 1 PERSONNE

Faites cuire les épinards avec un peu d'eau dans une casserole couverte, environ 6 à 8 minutes ; ils doivent être tendres. Égouttez-les et pressez-les le plus possible. Hachez-les grossièrement et faites-les revenir doucement dans la moitié du beurre en les retournant souvent.

Cassez les œufs dans une jatte, assaisonnez légèrement et battez-les. Ajoutez les épinards et mélangez bien.

Faites chauffer le reste du beurre dans une poêle et versez les œufs. Laissez cuire à feu vif 2 minutes, puis, à l'aide d'une pelle, retournez et faites cuire quelques secondes de l'autre côté. Mettez sur un plat et servez aussitôt.

INSALATA DI FUNGHI

Salade de champignons

Des champignons coupés en tranches fines, assaisonnés d'huile et de jus de citron, constituent un excellent hors-d'œuvre, que vous pouvez améliorer en ajoutant quelques crevettes ou quelques filets d'anchois coupés fin.

Pour faire cette salade, choisissez des champignons de Paris bien blancs ; utilisez-les peu de temps après les avoir achetés.

230 g de champignons de Paris
1 gousse d'ail
5 cuillères à soupe d'huile d'olive
2 cuillères à soupe de jus de citron

Poivre
Sel
Quelques branches de persil hachées grossièrement
180 g de crevettes décortiquées, ou 8 filets d'anchois coupés fin (facultatif)

POUR 4 PERSONNES

Lavez les champignons à l'eau froide et coupez-les en tranches fines. Coupez la gousse d'ail en deux et frottez la partie coupée contre l'intérieur d'un saladier.

Battez l'huile, le citron et le poivre dans le saladier. Ajoutez les champignons et mélangez bien. Couvrez et mettez 1 heure au réfrigérateur.

Juste avant de servir, salez, ajoutez le persil haché et mélangez bien. Répartissez les champignons dans 4 ramequins individuels ; disposez sur le dessus les crevettes ou les morceaux d'anchois.

FRITTO MISTO DI MARE

Poissons frits

Il s'agit de morceaux de poisson passés dans une pâte légère et frits, jusqu'à ce qu'ils soient dorés et croustillants ; on trouve ce plat très populaire sur toute la côte italienne. Le poisson utilisé dépend essentiellement de la production locale ; si cela est possible, utilisez trois sortes de poissons. Leur forme et leur texture peuvent être très variées. Ce plat est composé, en Ligurie, de crevettes, de sardines entières, mais sans la tête, de calamars et de fines lanières de sole. Seuls les calamars demandent à être cuits avant d'être frits.

PÂTE :
100 g de farine
1 pincée de sel
2 cuillères à soupe d'huile d'olive
15 cl d'eau tiède
1 blanc d'œuf
Huile pour la friture
1 kg de poissons divers, coupés en morceaux

Fritto misto di mare (à droite)

POUR DÉCORER :
Quartiers de citron et d'orange
Branches de persil

POUR 4 PERSONNES

Pour faire la pâte, mélangez la farine et le sel dans une jatte ; faites un puits au milieu. Versez l'huile, puis, peu à peu, battez l'eau afin d'obtenir une pâte homogène et épaisse. Mettez-la 2 heures au réfrigérateur. Au moment de l'utiliser, incorporez le blanc d'œuf battu en neige.

Faites chauffer l'huile à 190°. Disposez du papier absorbant au fond d'un plat allant au four ; faites chauffer votre four à une température moyenne.

Passez chaque morceau de poisson dans la pâte, puis faites-le frire dans l'huile 3 à 6 minutes, selon sa taille.

Retirez-les à l'aide d'une écumoire, égouttez-les sur le papier absorbant et mettez-les dans le four, afin de les tenir au chaud. Continuez jusqu'à épuisement des morceaux de poisson.

Pour servir, mettez les morceaux de poisson sur un plat de service chaud et garnissez de quartiers d'orange et de citron, et de branches de persil.

GNOCCHI

On trouve des *gnocchi* dans toute l'Italie ; à Gênes, on les appelle *troffie* et on les sert avec du poisson. Ailleurs, on les sert avec de la viande, des foies de volaille ou de la sauce tomate.

500 g de pommes de terre cuites
180 g de farine
1 œuf battu
Sel
Poivre
Noix de muscade
POUR SERVIR :
30 g de beurre
Parmesan râpé
Pesto (voir recette ci-contre)

POUR 4 PERSONNES

Égouttez les pommes de terre ; mettez-les sur le feu afin qu'elles se dessèchent bien. Faites une purée très fine, ajoutez la farine, l'œuf, la noix de muscade, salez et poivrez. Mélangez jusqu'à ce que vous obteniez une pâte, puis mettez-la sur une surface farinée.

Passez-vous les mains dans la farine et prenez des morceaux de pâte ; faites-en des saucisses d'environ 1 cm de diamètre. Coupez-les tous les 2 cm et incurvez-les légèrement vers le centre.

Plongez les *gnocchi*, peu à la fois, dans une grande casserole d'eau bouillante salée. Laissez-les cuire jusqu'à ce qu'ils remontent à la surface de l'eau ; il faut entre 3 et 5 minutes. Retirez-les avec une écumoire et mettez-les dans un plat beurré ; tenez-les au chaud jusqu'à ce qu'ils soient tous cuits.

Parsemez de petits morceaux de beurre et saupoudrez de fromage. Versez une à deux cuillères du jus de cuisson dans le *pesto*, puis nappez les *gnocchi* avec et servez aussitôt.

AGLIATA

Sauce à l'ail

Les Gênois servent cette sauce relevée avec du poisson frit, du bœuf ou du foie. C'est une sauce pour amateur d'ail uniquement.

4 gousses d'ail
2 cuillères à soupe de mie de pain
1 pincée de sel
1 cuillère à soupe de vinaigre de vin (environ)

POUR 2 PERSONNES

Mettez l'ail, la mie de pain et le sel dans un mortier et faites-en une pâte. Incorporez peu à peu le vinaigre, jusqu'à ce que la pâte devienne une crème épaisse.

Gnocchi con pesto

PESTO

Sauce au basilic

Pour faire cette sauce, il faut absolument utiliser du basilic frais. Vous pouvez aussi ajouter un peu de persil, si vous désirez accentuer la couleur verte de cette sauce.

50 g de feuilles de basilic frais
30 g de pignons ou de noix
2 gousses d'ail
1 pincée de sel
Poivre
4 cuillères à soupe d'huile d'olive (environ)
40 g de parmesan râpé ou de pecorino

POUR 4 A 6 PERSONNES

Coupez les feuilles de basilic et les pignons grossièrement ; mettez-les dans un mortier avec l'ail, le sel et le poivre. Pilez le tout jusqu'à ce que vous obteniez une pâte épaisse. Ajoutez l'huile peu à peu et tournez, comme pour faire une mayonnaise, jusqu'à atteindre la consistance d'une crème épaisse.

Vous pouvez également passer le basilic, les pignons, le sel et le poivre au mixer électrique avec 2 cuillères à soupe d'huile à basse vitesse, en ajoutant peu à peu le reste d'huile, jusqu'à obtenir la consistance d'une crème épaisse.

Incorporez le fromage. Couvrez la sauce jusqu'au moment où vous l'utiliserez.

UTILISATION DU PESTO :

Avant de le mélanger avec des pâtes ou des gnocchi, on dilue le *pesto* avec de l'eau de cuisson des pâtes. A Gênes on sert généralement le pesto avec des *trenette* (pâtes fines et longues), mais on peut aussi prendre des spaghetti.

Après avoir cuit et égoutté les pâtes, faites fondre un morceau de beurre et mélangez. Servez dans des assiettes creuses avec une cuillère de *pesto* sur le dessus.

Avant de déguster vos pâtes, mélangez-les avec le pesto et ajoutez le fromage.

Fricassea di pollo (à droite et page 68)

FRICASSEA DI POLLO

Poulet à la sauce citron

Le citron pousse en quantité en Ligurie, aussi le trouve-t-on comme garniture de nombreux plats de viande et de poisson.

1 poulet de 1 kg préparé
1 petit oignon, coupé en tranches
1 petite carotte, coupée en rondelles
1 petite branche de céleri, coupée en tranches
1 feuille de laurier
4 grains de poivre
Sel
Poivre
2 cuillères à soupe d'huile
30 g de beurre
30 g de farine
2 jaunes d'œuf
Le jus et le zeste de 1/2 citron
2 cuillères à soupe de persil haché

POUR 4 PERSONNES

Retirez les abats et coupez le poulet en quatre morceaux.

Mettez les abats et la carcasse dans une casserole avec l'oignon, la carotte, le céleri, la feuille de laurier, les grains de poivre et une bonne pincée de sel. Couvrez d'eau froide, portez à ébullition, couvrez et laissez mijoter doucement 30 minutes. Passez le bouillon et mettez-en 30 cl de côté.

Salez et poivrez le poulet. Faites chauffer l'huile et le beurre dans une cocotte et faites dorer les morceaux de poulet en les tournant de temps à autre. Retirez-les et mettez-les sur une assiette.

Versez la farine dans la cocotte, remuez et laissez cuire 1 minute, puis ajoutez peu à peu le bouillon. Portez à ébullition sans cesser de tourner ; puis remettez les morceaux de poulet, couvrez et laissez mijoter de 30 à 40 minutes. Enlevez les morceaux et disposez-les sur un plat de service chaud.

Dégraissez la surface de la sauce. Mettez les jaunes d'œuf et le jus de citron dans une jatte, ajoutez 2 cuillères à soupe de sauce et battez légèrement. Versez le mélange dans la sauce, laissez chauffer sans bouillir, jusqu'à ce que la sauce épaississe. Rectifiez l'assaisonnement, versez la sauce sur les morceaux de poulet et garnissez de zeste de citron et de persil haché.

VITELLO ALL' UCCELLETTO

Sauté de veau

Pour que ce plat soit délicieux, il vous faut du veau de très bonne qualité et de l'huile d'olive de qualité supérieure. Il existe plusieurs variantes de cette recette : certains estiment que la sauce donne un goût de gibier, d'autres préfèrent employer des feuilles de laurier. Parfois on ajoute, juste avant de servir, des petits pois frais.

500 g de filet de veau
3 cuillères à soupe d'huile d'olive
2 gousses d'ail
3-4 feuilles de laurier ou 6 feuilles fraîches de sauge
Sel
Poivre
5 cuillères à soupe de vin blanc sec

POUR 4 PERSONNES

Coupez le veau en tranches fines, que vous aplatissez au maximum et couperez en morceaux d'environ 3 cm de côté.

Faites chauffer l'huile dans une cocotte avec l'ail, les feuilles de laurier ou de sauge ; l'huile doit être bien parfumée. Retirez du feu, mettez la viande et tournez-la jusqu'à ce qu'elle soit bien nappée d'huile.

Reportez sur le feu ; laissez cuire 3-4 minutes à feu doux, sans cesser de tourner. Salez et poivrez, puis ôtez la viande avec une écumoire ; disposez-la sur un plat de service chaud. Retirez l'ail et les herbes.

Ajoutez le vin blanc et portez rapidement à ébullition, en grattant les sucs de viande ; laissez jusqu'à ce que vous ayez une sauce un peu épaisse. Nappez la viande et servez aussitôt.

CIMA ALLA GENOVESE

Épaule de veau farcie

Les touristes qui visitent Gênes ne pourront manquer de remarquer, dans les magasins d'alimentation ou dans les *trattorie*, ce morceau de viande farcie très décoratif. Pour le préparer plus facilement, demandez à votre boucher de vous donner un long morceau de poitrine de veau d'environ 750 g une fois désossé. Demandez-lui de battre la viande pour qu'elle ait environ une épaisseur de 1/2 cm et n'oubliez pas de lui demander les os.

750 g-1 kg de poitrine de veau désossée, préparée comme indiqué ci-dessus
Sel
Poivre
50 g de mie de pain
Lait
100 g de ris de veau
30 g de beurre
50 g d'oignon haché fin
350 g d'échine de porc haché fin
40 g de parmesan râpé
1 pincée de marjolaine sèche
80 g de petits pois frais décortiqués
1 cœur d'artichaut haché (facultatif)
30 g de pistaches décortiquées (facultatif)
2 œufs légèrement battus
2 œufs durs
Os de veau

POUR 10 A 12 PERSONNES

Mettez à plat le morceau de veau, salez et poivrez ; pliez-le en deux et cousez les deux côtés les plus longs, afin de former une sorte de sac. Faites tremper la mie de pain dans le lait jusqu'à ce qu'elle soit bien imbibée, puis pressez. Couvrez les ris de veau d'eau froide, portez à ébullition et laissez frémir 10 minutes, puis égouttez et coupez-les.

Faites fondre le beurre dans une casserole et faites revenir l'oignon. Retirez du feu et ajoutez les ris de veau, la mie de pain, le porc, le fromage, la marjolaine, les petits pois, le cœur d'artichaut, les pistaches et les œufs battus ; salez et poivrez. Mélangez bien.

Mettez la moitié de la farce dans le veau, puis les œufs durs et terminez par le reste de la farce. Cousez solidement, afin que la farce ne puisse s'échapper.

Mettez les os dans une cocotte, ajoutez la viande et couvrez d'eau salée froide. Portez à ébullition, couvrez et laissez mijoter 1 1/2 à 2 heures. Laissez refroidir dans l'eau, puis égouttez la viande et mettez-la au réfrigérateur. Servez froid, coupé en tranches épaisses. Vous pouvez utiliser le jus de cuisson pour faire une soupe.

Vitello all'uccelletto, Cima alla genovese

Vénétie

La Vénétie se trouve au Nord-Ouest de l'Italie. Le port de Venise domine la courbe côtière ; sa lagune et ses îles sont pittoresques et réputées. La Vénétie a gardé des coutumes culinaires purement italiennes, malgré les liens qu'elle a eus avec les régions limitrophes et l'Extrême-Orient. Venise ayant étendu sa domination sur toute la région, on trouve aujourd'hui des plats vénitiens dans des villes telles que Padoue, Vicence, Vérone, Trévise.

A Venise, une visite matinale du marché aux poissons, le long du pont du Rialto, vous révélera la grande variété des espèces méditerranéennes : des thons entiers, des anguilles gris-noir dans des boîtes, les langoustines rose pâle de l'Adriatique, des mulets gris et écarlates, des crabes rouges et piquants, des rascasses, des pieuvres et des calmars, des clams, des moules et des bigorneaux. Les rues sont bordées d'échopes aux étalages colorés : poivrons rouges, verts, jaunes, aubergines violet foncé, artichauts vert olive, buissons d'herbes fraîches, courgettes, tomates bien mûres pour les sauces et tomates plus fermes pour les salades. Les grandes fleurs jaunes des courgettes sont vendues en bottes pour être utilisées dans des farces ; on peut aussi les faire frire en beignets, comme à Padoue.

Trévise, au nord de Venise, est le centre d'une très riche région agricole ; c'est là que prit naissance la tradition d'une excellente cuisine. Le marché de Trévise est divisé en places rapprochées, chacune spécialisée dans une marchandise : champignons, volaille et gibier, fruits et légumes ; le marché aux poissons est situé le long des canaux. Pendant l'hiver, le marché de Trévise propose le *radiccio rosso,* une variété de laitue spécifiquement italienne. Le marché de Vérone est installé sur la Piazza delle Erbe ; ses marchandises sont disposées sous des ombrelles rayées.

Tout le long du littoral, les plats de poissons et de coquillages constituent l'essentiel de la cuisine locale. Le poisson en salade a beaucoup de succès, ainsi que la morue et les plats d'anguille près de Comacchio. Les Vénitiens absorbent de grandes quantités de polenta, risotto et de soupes épaisses. Vous pouvez être étonnés à la lecture des plats mentionnés sur certains menus vénitiens ; ils sont parfois indiqués dans un dialecte local ; les spaghetti, par exemple, deviennent des *bigoli,* les moules des *peoci* et les ravioli des *rafoi.*

On dit que ce sont les Étrusques qui ont implanté le vignoble à Venise et dans les régions limitrophes. Il donne d'excellents vins comme le soave, le valpolicella et le bardolino, mais vous en découvrirez bien d'autres.

INSALATA DI RISO CON FRUTTI DI MARE

Salade aux fruits de mer

Cette délicieuse salade de riz, parfumée avec du fenouil, peut être mélangée à toutes sortes de fruits de mer ; des coques ou des coquilles Saint-Jacques peuvent très bien remplacer les clams et les moules, par exemple.

Le thon peut également donner un contraste délicieux avec le goût du fenouil et remplace aisément les fruits de mer de cette salade.

230 g de riz
5 cuillères à soupe d'huile d'olive
1 cuillère à soupe de jus de citron
1 cuillère à soupe de vinaigre de vin
Sel
Poivre
1 cuillère à soupe d'oignon râpé grossièrement
1 cœur de fenouil coupé en lanières
2 cuillères à soupe de persil haché
FRUITS DE MER :
1,2 l de moules fraîches
1,2 l de clams
500 g de crevettes décortiquées ou de langoustines
POUR DÉCORER :
Feuilles de fenouil
2 œufs durs coupés en quartiers
Olives noires (facultatif)

POUR 4 PERSONNES

Faites cuire le riz à l'eau bouillante salée ; il doit être tendre, mais encore un peu ferme. Égouttez-le, mettez-le dans une jatte, ajoutez l'huile, le citron, le vinaigre et l'oignon ; salez et poivrez. Mélangez bien, puis laissez au frais. Ajoutez le fenouil et le persil. Rectifiez l'assaisonnement.

Nettoyez les moules et lavez-les à grande eau. Retirez celles qui sont cassées ou qui ne sont pas fermées hermétiquement. Passez-les à l'eau froide, puis égouttez-les. Mettez-les dans une grande casserole, couvrez et mettez la casserole à feu doux en l'agitant fréquemment, jusqu'à ce que les moules s'ouvrent. Dès qu'elles sont ouvertes, mettez-les dans une passoire.

Quand elles sont refroidies, ôtez-les de leurs coquilles, mais gardez-en quelques-unes dans leur coquille inférieure pour décorer.

Préparez les clams de la même façon et décortiquez les crevettes ou les langoustines.

Mélangez les moules, les clams et les crevettes au riz ; disposez la salade au centre du plat de service. Décorez avec les crevettes non décortiquées et des feuilles de fenouil. Garnissez le plat avec les œufs durs, les olives, les moules et les clams dans leurs coquilles.

RISOTTO VERONESE

Risotto de Vérone

Dans toute la Vénétie, le risotto est un plat de base que l'on fait varier en fonction de ce que l'on a sous la main : vous pouvez par exemple ajouter des morceaux de poulet, de poisson, de jambon ou des foies de volaille.

Pour le *risotto bianco*, faites comme pour le *risotto alla milanese* (page 82), mais ne mettez pas de safran.

Risotto bianco (voir ci-dessus)
4 foies de volaille
30 g de beurre
50 g de jambon cuit, coupé en petits dés
30 g de parmesan râpé
POUR SERVIR :
Des champignons à la véronaise (voir page 73)

POUR 4 PERSONNES

Préparez le risotto. Nettoyez les foies de volaille ; retirez les petits vaisseaux sanguins et les petits morceaux de peau, puis coupez-les en petits morceaux.

Faites fondre le beurre dans une poêle et faites revenir doucement les foies ; ils doivent être légèrement cuits, puis ajoutez les dés de jambon. Versez dans le risotto avec le parmesan. Accompagnez de champignons à la véronaise.

Insalata di riso con frutti di mare

ZUPPA DI PESCE

Soupe de poisson

Ces soupes délicieuses que l'on déguste le long de la côte adriatique sont plus des ragoûts que de véritables soupes. Comme on ne peut trouver partout les poissons de l'Adriatique, utilisez des poissons comme le rouget, le bar, le maquereau ou la sole.

1,5 kg de poissons assortis (voir ci-dessus)
60 cl d'eau froide
4 cuillères à soupe d'huile d'olive
2 gros oignons coupés en tranches fines
2 branches de céleri coupées en tranches fines
2 gousses d'ail coupées fin
2 cuillères à soupe de persil haché
Sel
20 cl de vin blanc sec
350 g de tomates épépinées et coupées en gros morceaux
1 cuillère à café de concentré de tomate
Poivre
100 g de crevettes ou de petites langoustines décortiquées
6 tranches de pain, revenues dans du beurre jusqu'à ce qu'elles soient dorées et croustillantes

Zuppa di pesce

POUR 6 PERSONNES

Nettoyez le poisson et coupez-le en filets. Mettez les têtes, les queues et les parures dans une casserole ; ajoutez l'eau et un peu de sel, portez à ébullition et laissez mijoter 30 minutes. Passez le jus et mettez le bouillon de côté.

Faites chauffer l'huile dans une cocotte, où vous ferez dorer les oignons, le céleri et l'ail. Ajoutez le persil, le vin blanc et laissez bouillonner quelques minutes, jusqu'à ce que le tout réduise de moitié. Ajoutez les tomates, le concentré de tomate, le bouillon de poisson, salez, poivrez et laissez mijoter 15 minutes.

Coupez le poisson en tranches fines et ajoutez-le à la cocotte. Laissez mijoter 10 minutes. Ajoutez les crevettes ou les langoustines et laissez encore mijoter 3 à 5 minutes. Les poissons doivent être cuits.

Rectifiez l'assaisonnement et versez la soupe de poisson dans des assiettes creuses, au fond desquelles vous aurez disposé une tranche de pain.

FUNGHI IN UMIDO ALLA VERONESE

Champignons à la véronaise

Les champignons coupés en tranches et cuits de cette manière sont très bons avec des pâtes au beurre, du poulet rôti ou du *risotto veronese*.

230 g de champignons de Paris
1 cuillère à soupe d'huile d'olive
40 g de beurre
50 g d'oignon hachés
1 gousse d'ail écrasée
2 cuillères à soupe de persil haché
1 cuillère à soupe de farine
Quelques gouttes de jus de citron
Sel
Poivre

POUR 4 PERSONNES

Lavez, essuyez, mais ne pelez pas les champignons, puis coupez-les en tranches fines. Faites chauffer l'huile et 25 g de beurre dans une casserole, où vous ferez revenir doucement l'oignon, l'ail et le persil ; il faut environ 6 minutes.

Saupoudrez de farine, laissez cuire 1 minute, puis remuez doucement les champignons et laissez mijoter 1 à 2 minutes ; ils doivent être tendres. Ajoutez le jus de citron, salez, poivrez et ajoutez le reste de beurre.

73

TIMBALLO DI RISO CON SCAMPI E FUNGHI

Riz aux langoustines et aux champignons

230 g de riz
Sel
100 g de beurre
1 feuille de laurier
500 g de langoustines décortiquées
2 cuillères à soupe de cognac
3 cuillères à soupe de farine
15 cl de lait
1 cuillère à soupe de concentré de tomate
30 cl de crème fraîche
Poivre
1 cuillère à soupe d'huile
230 g de champignons de Paris
Quelques gouttes de jus de citron
3 cuillères à soupe de parmesan râpé
POUR GARNIR :
Persil haché
Quartiers de citron

POUR 4 PERSONNES

Faites cuire le riz à l'eau bouillante salée ; quand il est tendre, égouttez-le. Pendant ce temps, faites chauffer 40 g de beurre dans une casserole, ajoutez la feuille de laurier et les langoustines ; laissez cuire 1 à 2 minutes sans cesser de tourner. Ajoutez le cognac, portez à ébullition et laissez bouillir jusqu'à ce qu'il s'évapore ; mélangez la farine et laissez 1 minute.

Retirez du feu et ajoutez le lait, le concentré de tomate, la crème fraîche, salez et poivrez. Portez à ébullition, remuez bien, couvrez et laissez mijoter doucement 10 minutes.

Dans une autre casserole, faites chauffer l'huile avec 25 g de beurre ; faites revenir les champignons en les retournant souvent. Salez, poivrez et ajoutez quelques gouttes de jus de citron.

Saupoudrez le fromage et mélangez bien le tout avec le reste de beurre. Tassez le riz dans un moule rond que vous retournerez au-dessus du plat de service chaud. Disposez au centre les langoustines et leur sauce ; garnissez de champignons tout autour. Saupoudrez de persil et intercalez des quartiers de citron entre les champignons. Servez aussitôt.

SOGLIOLE ALLA VENEZIANA

Sole à la vénitienne

Voici une version moderne d'une très ancienne recette vénitienne pour la préparation de la sole ; vous pourrez aussi utiliser des poissons plats, comme la limande.

4 poissons plats d'environ 350 g chacun
Farine
Huile à friture
1 branche de céleri coupée fin
1 oignon haché fin
3 cuillères à soupe de raisins de Smyrne
2 cuillères à soupe de pignons
15 cl de vinaigre de vin blanc
15 cl d'eau
Sel
Poivre
1 cuillère à soupe de persil haché (facultatif)

POUR 4 PERSONNES

Demandez à votre poissonnier d'enlever la tête, la peau et les parures des poissons. Passez-les sous l'eau froide, essuyez-les avec du papier absorbant et passez-les dans la farine. Faites chauffer de l'huile dans une poêle et faites frire doucement les poissons 3 à 4 minutes de chaque côté ; ils doivent être cuits et dorés. Égouttez-les et tenez-les au chaud.

Faites chauffer 3 cuillères à soupe d'huile dans une petite casserole et faites fondre doucement l'oignon ; ajoutez les raisins de Smyrne, les pignons, le vinaigre, l'eau, salez et poivrez. Portez à ébullition et laissez mijoter 10 minutes ; les fruits doivent être gonflés et le jus doit avoir réduit. Nappez les poissons avec, saupoudrez de persil et servez aussitôt.

ANGUILLA CON PEPERONI ALLA VENETA

Anguille aux poivrons et aux tomates

Les poivrons et les tomates forment un contraste avec l'anguille, qui est un met riche, et donnent à ce plat de la couleur. Choisissez de préférence une anguille de taille moyenne.

230 g de poivrons rouges
4 cuillères à soupe d'huile d'olive
2 gousses d'ail coupées en tranches
1 kg d'anguille nettoyée, sans la peau, et coupée en tronçons de 8 cm
Sel
Poivre
6 cuillères à soupe de vin blanc sec
500 g de tomates pelées, épépinées et hachées grossièrement
1 cuillère à café de persil haché

POUR 6 PERSONNES

Passez les poivrons au four, en les tournant de temps en temps, jusqu'à ce que leur peau soit noire. Quand ils ont refroidi, pelez-les et coupez-les en fines lamelles, en retirant les graines et les cloisons.

Faites chauffer l'huile dans une grande casserole et faites dorer l'ail 1 minute. Ajoutez les morceaux d'anguille et faites-les dorer. Salez et poivrez. Ajoutez le vin et laissez frissonner jusqu'à ce qu'il ait bien réduit. Passez la pulpe de tomate au tamis au-dessus de la casserole et laissez mijoter 15 à 20 minutes. Ajoutez les poivrons et laissez chauffer.

Disposez les morceaux d'anguille sur un plat de service ovale, nappez de sauce et saupoudrez de persil.

FEGATO ALLA VENEZIANA

Foie de veau à la vénitienne

Ce plat délicieux, composé d'oignons et de foie, mettra en valeur votre table. Si vous ne trouvez pas de foie de veau convenable, utilisez du foie de porc coupé en tranches minces, puis blanchi à l'eau bouillante, égoutté et séché. Pour le foie de porc, prolongez un peu la cuisson.

5 cuillères à soupe d'huile d'olive
280 g d'oignons coupés en tranches fines
500 g de foie
Sel
Poivre

POUR DÉCORER :
1 cuillère à soupe de persil haché
4 quartiers de citron (facultatif)

Fegato alla veneziana, Timballo di riso con scampi e funghi, Sogliole alla veneziana

POUR 4 PERSONNES

Faites chauffer l'huile dans une grande poêle et faites revenir doucement les oignons, en les couvrant, mais en remuant de temps en temps ; il faut environ 20 minutes pour qu'ils soient transparents.

Coupez le foie en tranches fines, puis en petits carrés d'environ 5 cm de côté. Salez et poivrez les oignons et augmentez le feu ; ajoutez les morceaux de foie et faites-les revenir rapidement en les retournant plusieurs fois environ 2 minutes ; ils doivent être cuits, mais encore un peu rosés à l'intérieur.

Servez aussitôt, garni de persil et de quartiers de citron.

MAIALE AL LATTE

Porc au lait

Il y a de très nombreuses variantes sur cette façon de cuire le porc. Vous pouvez le parfumer avec une branche de romarin ou quelques feuilles de basilic ou de fenouil. Vous pouvez aussi ajouter en fin de cuisson 100 g de champignons coupés en tranches que vous aurez fait revenir dans 100 g de beurre.

1 kg de porc désossé
Sel
Poivre
1 gousse d'ail écrasée
4 graines de coriandre écrasées
40 g de beurre
1,2 l de lait

POUR 6 PERSONNES

Demandez à votre boucher un morceau de porc que vous puissiez rouler et ficeler comme une saucisse. Salez et poivrez la viande, puis saupoudrez d'ail et de coriandre. Roulez-la et ficelez-la solidement. Faites fondre le beurre dans une cocotte qui contienne juste le morceau de viande. Faites dorer la viande de tous côtés.

Dans une casserole, portez le lait à ébullition. Quand la viande est dorée, versez le lait dessus ; il doit y avoir juste assez de lait pour recouvrir la viande. Laissez mijoter sans couvrir 1 heure.

Retirez la peau qui s'est formée à la surface du lait et laissez encore cuire 30 à 45 minutes ; la viande doit être tendre ; il ne doit plus rester que 25 cl de lait environ. Retirez la viande, coupez-la en tranches et disposez-la sur un plat de service creux chaud, que vous tiendrez au chaud.

Battez légèrement le lait et grattez le jus de la viande. Il doit avoir une couleur beige, avoir un aspect granuleux et la consistance d'une crème ; s'il ne l'a pas, laissez-le cuire encore quelques minutes en prenant soin qu'il n'attache, ni ne brûle. Nappez avec les tranches de viande et servez chaud ou froid.

Polenta con oseleti scampai, Maiale al latte

POLENTA CON OSELETI SCAMPAI

Polenta aux brochettes de viande

Ce plat traditionnel vénitien est très nourrissant. Vous pouvez ne pas mettre de veau.

Des feuilles de sauge fraîche parfumeront agréablement la viande. Si vous n'en avez pas, saupoudrez votre viande de sauge en poudre, avant de la faire cuire.

Polenta froide (voir page 82)
230 g de ris de veau ayant trempé 1 à
*   2 heures à l'eau froide*
4 fines tranches de poitrine de porc salée
80 g de beurre
6 foies de poulet coupés en deux
230 g de filet de veau
16 petits champignons
8 feuilles de sauge fraîche
Poivre
Sel

POUR GARNIR :
4 quartiers de citron

POUR 4 PERSONNES

Étalez la polenta en un cercle de 2 cm d'épaisseur. Coupez-le en quatre

triangles. Égouttez les ris de veau, couvrez-les d'eau froide, portez lentement à ébullition et laissez mijoter 15 minutes. Égouttez-les, plongez-les dans l'eau froide, retirez la peau et le gras, puis coupez-les en 12 morceaux égaux.

Coupez chaque tranche de poitrine de porc en 4 morceaux. Mettez-les dans une casserole, couvrez d'eau froide et portez à ébullition. Laissez mijoter 15 minutes, puis égouttez. Faites fondre 25 g de beurre dans une casserole et faites revenir les foies de poulet 2 minutes en les tournant, puis égouttez-les. Battez le veau pour l'aplatir afin qu'il ait une épaisseur de 1/2 cm, puis coupez-le en morceaux de 3 cm de côté.

Divisez les morceaux de viande en quatre parts égales. Piquez alternativement les morceaux de viande et les

champignons sur des brochettes, en commençant et en finissant par un morceau de porc, mettez de temps à autre une feuille de sauge. Salez et poivrez. Faites fondre 25 g de beurre dans la casserole qui a servi à faire revenir les foies de poulet, puis badigeonnez-en les brochettes. Mettez les brochettes à cuire sous le gril environ 10 minutes, en les tournant plusieurs fois et en les badigeonnant de beurre fondu, afin que la viande ne se dessèche pas.

Faites dorer doucement la polenta des deux côtés dans le reste de beurre. Pour servir, disposez les morceaux de polenta sur un plat de service chaud et placez dessus les brochettes. Décorez avec les quartiers de citron. Quand vous serez à table, vous retirerez la viande des brochettes et verserez dessus un peu de jus de citron.

ARANCI CARAMELLIZZATI

Oranges caramélisées

C'est à un chef vénitien que l'on doit la création de ce dessert, à la fois rafraîchissant et coloré ; il est fait avec des oranges sans pépin importées de Sicile.

6 grosses oranges sans pépin
230 g de sucre cristallisé
30 cl d'eau
1 cuillère à soupe de curacao ou de liqueur d'orange (facultatif)

POUR 6 PERSONNES

Pelez finement le zeste d'une orange avec un épluche-pomme de terre. Coupez-le fin et faites-le mijoter 8 minutes dans suffisamment d'eau pour qu'il soit couvert ; il doit devenir tendre. Pelez les autres oranges à vif et épépinez-les s'il y a lieu.

Mettez le sucre dans une casserole avec 15 cl d'eau à feu doux. Remuez jusqu'à ce qu'il soit complètement dissous, puis faites bouillir quelques minutes. Retirez du feu, plongez les oranges, 3 à la fois, et nappez-les du sirop. Sortez-les et disposez-les dans un plat de service.

Ajoutez le zeste râpé fin au sirop de sucre et laissez à feu doux jusqu'à ce que le tout commence à caraméliser. Ôtez rapidement la casserole du feu et plongez-la dans l'eau froide pour arrêter la cuisson. Disposez les morceaux de zeste caramélisé sur les oranges.

Ajoutez le reste d'eau et la liqueur dans la casserole, et faites chauffer en tournant jusqu'à ce que le caramel soit dissous. Laissez refroidir, puis versez sur les oranges. Servez légèrement glacé.

Aranci caramellizzati (en bas, à droite)

Lombardie

La Lombardie est une région qui s'étend des Alpes à la vallée du Pô. Elle comprend la plupart des lacs, entourés de pâturages fertiles. C'est dans ces plaines que paissent d'énormes troupeaux de vaches laitières qui fournissent de très grandes quantités de lait. Ce lait est à la base de deux fromages célèbres : le gorgonzola et le bel paese, mais aussi d'autres fromages moins connus, comme le stracchino et le taleggio.

Dans la cuisine lombarde traditionnelle, les plats cuisent longtemps et à petit feu. Aujourd'hui, quand on voit la vie effrénée d'une ville industrielle comme Milan, on a peine à croire que cette tradition y survive encore. Le beurre est une denrée courante grâce à une agriculture bien développée et convient parfaitement à une cuisson lente. Les viandes braisées, le *risotto,* la *polenta,* les soupes et la *peperonata* appartiennent de toute évidence à cette cuisine traditionnelle « sur le feu ».

La Lombardie produit de grandes quantités de légumes. On peut voir mijoter dans les cuisines d'énormes marmites de *minestrone,* épaissi avec des légumes et des herbes. On le prépare en grande quantité pour l'utiliser pour plusieurs repas. Par temps chaud, la soupe est mangée tiède *(semi-freddo).* Elle est suivie de *risotto* ou de *polenta,* plutôt que de pommes de terre ou de pâtes. A base de riz à grains ronds, poussant dans la vallée du Pô, le *risotto* est un des grands plats de la cuisine lombarde. Il est toujours considéré comme un plat en soi, à l'exception faite du *risotto milanese* coloré avec du safran et servi avec de l'*ossobuco.* Ajoutez divers ingrédients au riz permet d'utiliser des restes de volaille, de viande ou de poisson. Les restes de *risotto* se servent frits sous la forme d'une épaisse galette que l'on appelle *rosotto al salto.*

La viande favorite de cette région est le veau ; de nombreuses recettes italiennes à base de veau sont nées en Lombardie. Elles utilisent des morceaux bon marché comme la poitrine ou le jarret aussi bien que des morceaux plus chers comme le filet ou les côtes. Les dindes sont assez rares en Lombardie, mais vous trouverez ici une recette de dinde aux marrons avec une farce aux fruits. Les voyageurs qui traversent la Lombardie se régaleront d'une tranche de *panettone,* un gâteau léger parsemé de raisins secs et de fruits confits ; plus à l'Est, on trouve une sorte de petit pain au lait, appelé *colomba,* fait de la même façon que le *panettone.*

On trouve en Lombardie quelques délicieux petits vins dans la vallée de la Valtelline, des vins rouges légers comme le sasella, l'inferno et le grumello, et d'agréables vins blancs sur le bord ouest du lac de Garde. Les amateurs pourront aussi déguster le campari, cet apéritif conçu à Milan par un membre de la famille Campari.

MINESTRONE ALLA CASALINGA

Minestrone

Minestrone alla casalinga

Chaque cuisinière italienne compose son propre minestrone, en fonction des légumes de saison. Il est invariable- ment épaissi par des légumes, parfumé avec des herbes, et assaisonné avec du parmesan ou du pecorino râpé au moment de servir. A Milan on remplace les pâtes par du riz.

100 g de haricots blancs
3 cuillères à soupe d'huile
2 oignons hachés
2 gousses d'ail écrasées
2-3 tranches de lard
4 tomates pelées, épépinées et coupées fin
2 l d'eau
1/2 cuillère à café de marjolaine fraîche
1 pincée de thym frais
2 carottes coupées en dés
2 pommes de terre coupées en dés
1 petit navet coupé en dés
1-2 branches de céleri coupées fin
230 g de chou coupé en lanières
50 g de macaroni coupés en morceaux ou de petites pâtes
1 cuillère à soupe de persil haché
Sel
Poivre
Parmesan râpé

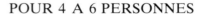

POUR 4 A 6 PERSONNES

Faites tremper toute une nuit les haricots.

Faites chauffer l'huile dans une cocotte, et faites revenir les oignons, l'ail et le lard quelques minutes. Ajoutez les tomates et les haricots. Versez l'eau, ajoutez la marjolaine et le thym, puis laissez mijoter, couvert, 2 heures.

Ajoutez les carottes, laissez cuire 10 minutes, puis mettez les pommes de terre et le navet. Laissez encore cuire quelques minutes, puis ajoutez le céleri, le chou et les pâtes. Laissez cuire jusqu'à ce que les pâtes et tous les légumes soient tendres. Ajoutez le persil, salez et poivrez.

Saupoudrez de parmesan râpé et servez le reste de parmesan à part.

PEPERONATA

Poivrons aux tomates et aux oignons

Ce plat très coloré, servi froid, est un délicieux hors-d'œuvre. Si vous le servez chaud, il accompagne bien le poulet rôti ou grillé, l'agneau ou le porc. Dans ce plat, le parfum des poivrons prédomine, mais vous pouvez varier en ajoutant d'autres légumes, comme du céleri ; quand les tomates deviennent trop chères, vous pouvez les supprimer.

6 gros poivrons rouges ou verts, ou bien mélangés
4 cuillères à soupe d'huile
230 g d'oignons hachés
2 gousses d'ail coupées en morceaux
2 feuilles de laurier

*500 g de tomates pelées et coupées en
    quartiers*
Sel
Poivre

POUR 4 PERSONNES

Coupez les poivrons en deux, retirez
la queue, les graines et les cloisons, puis
passez-les à l'eau froide. Coupez en lanières de 1 cm de large. Faites chauffer
l'huile dans une casserole et faites revenir les oignons, l'ail et les feuilles de
laurier, en tournant de temps à autre.
Ajoutez les poivrons, mélangez, couvrez et laissez cuire doucement environ
10 minutes. Ajoutez les tomates avec
un peu de sel et de poivre ; laissez cuire
sans couvrir, en remuant fréquemment
jusqu'à ce que le liquide soit évaporé et
que la *peperonata* soit épaisse ; cela
peut prendre 30 minutes et cela dépend surtout des tomates. Retirez les
feuilles de laurier, rectifiez l'assaisonnement et servez froid.

PESCE IN
CARPIONE

Poisson mariné

Les lacs lombards abondent en
poissons. Faites mariner du poisson
après l'avoir fait frire, pour lui donner
du parfum.

Peperonata, Pesce in carpione

500 g de filet de poisson
Lait
Farine
Huile à friture

MARINADE :
2 cuillères à soupe d'huile
1 petit oignon coupé en tranches fines
1 grosse gousse d'ail écrasée
*1 poivron passé sous le gril, pelé et épé-
    piné*
4 cuillères à soupe de vin blanc sec
2 cuillères à soupe de vinaigre de vin
3 feuilles de sauge fraîche
1 pincée de sucre
Sel
Poivre

POUR 3 A 4 PERSONNES
Retirez la peau et les arêtes du poisson et coupez-le en lanières de 2,5 cm
de large. Passez-le dans le lait, égouttez-le, puis passez-le dans la farine.

Versez de l'huile (1/2 cm de hauteur)
dans une poêle, faites-la chauffer et
faites frire les lanières de poisson,
jusqu'à ce qu'elles soient croustillantes
et dorées. Égouttez-les sur du papier
absorbant et disposez-les les unes à
côté des autres dans un plat creux.

Pour préparer la marinade, faites
chauffer l'huile dans une casserole et
faites fondre doucement l'oignon et
l'ail ; ils doivent être mous et légèrement dorés. Coupez les poivrons en lanières fines et faites-les revenir 3-4 minutes, puis ajoutez le vin, le vinaigre,
les feuilles de sauge et le sucre ; salez et
poivrez. Portez à ébullition, laissez
mijoter 1 à 2 minutes, puis versez sur le
poisson.

Couvrez et laissez dans un endroit
frais toute une nuit. Servez froid en
hors-d'œuvre.

RISOTTO ALLA MILANESE

Risotto milanaise

Contrairement à la plupart des plats à base de riz, le risotto italien a une texture crémeuse, qu'il doit au grain rond du riz de la vallée du Pô, car il gonfle bien. On le trouve couramment dans les magasins de spécialités italiennes. La moelle de bœuf et le safran sont des ingrédients traditionnels, mais pas indispensables.

50 g de beurre
100 g d'oignons finement hachés
25 g de moelle de bœuf (facultatif)
350 g de riz italien
4 cuillères à soupe de vin blanc
1,2 l de bouillon de poule
1 pincée de safran (facultatif)
2 cuillères à soupe de parmesan râpé
Sel
Poivre
POUR SERVIR :
Parmesan râpé

POUR 4 PERSONNES

Faites fondre 25 g de beurre dans une casserole et faites dorer doucement l'oignon. Ajoutez la moelle et le riz ; tournez jusqu'à ce que le riz devienne translucide. Ajoutez le vin et laissez cuire jusqu'à ce qu'il soit complètement absorbé. Puis incorporez le bouillon, peu à la fois, c'est-à-dire en attendant chaque fois que la portion précédente a été absorbée. Remuez fréquemment et laissez cuire à feu doux sans couvrir.

Juste avant la fin de la cuisson, ajoutez le safran dissous dans une cuillère à soupe de bouillon chaud. Ajoutez le reste de beurre, le parmesan, salez et poivrez.

Le risotto est prêt à être servi quand le riz est cuit, mais encore ferme ; le plat a une consistance crémeuse. Les riz italiens non traités demandent environ 20 à 25 minutes de cuisson.

Accompagnez de parmesan.

POLENTA

La *polenta* est faite à base de semoule de maïs ; c'est encore de nos jours l'aliment de base de l'Italie du Nord. En général on en prépare suffisamment pour pouvoir faire frire les restes à l'occasion d'un autre repas.

75 cl d'eau
1/2 cuillère à café de sel
230 g de semoule de maïs fine
Poivre

POUR 4 PERSONNES

Dans une casserole, portez à ébullition l'eau avec le sel. Versez doucement la semoule de maïs, remuez continuellement avec une cuillère en bois, jusqu'à ce que cela forme un mélange un peu épais. Baissez le feu et laissez mijoter 20 à 25 minutes en remuant souvent. Quand cette bouillie nappe bien la cuillère, arrêtez la cuisson. Poivrez.

Si vous désirez une *polenta* plus épaisse, continuez la cuisson à feu doux.

Servez la *polenta* avec une sauce à la viande, aux champignons ou à la tomate et avec du parmesan râpé servi à part.

Les restes de *polenta* seront étalés sur 2,5 cm d'épaisseur. Quand elle est refroidie, coupez-la en petits carrés que vous ferez frire et que vous servirez avec une sauce.

ANITRA ARROSTO AL MARSALA

Canard au marsala

Bien que ce ne soit pas un plat traditionnel lombard, j'ai placé cette recette dans ce chapitre, car c'est à Milan que j'ai eu le plaisir de la déguster pour la première fois.

1 canard de 2 kg environ
Sel
Poivre
1 petit oignon
7 feuilles de sauge fraîche écrasée ou
*   1 cuillère à café de sauge sèche*
3 cuillères à soupe de marsala
15 cl de bouillon ou d'eau
Le jus de 1/4 de citron

POUR 4 PERSONNES

Videz le canard et nettoyez-le bien. Saupoudrez l'intérieur de sel et de poivre ; mettez-y l'oignon et la moitié d'une feuille de sauge. Piquez la peau du canard, afin qu'en cuisant le gras puisse s'échapper, puis frottez-la avec le reste de sauge.

Mettez le canard dans un plat à rôtir, le blanc vers le fond du plat, et disposez

Risotto alla milanese, Anitra arrosto al marsala, Polenta

les abats tout autour. Faites cuire 30 minutes à four tiède (160°). Tournez le canard et versez dessus le marsala. Continuez la cuisson 1 heure, en arrosant de temps à autre le canard avec le jus de cuisson.

Montez la température du four à 200° et laissez cuire encore 30 minutes ; la peau doit être croustillante et dorée. Mettez le canard dans un plat de service et tenez-le au chaud.

Dégraissez le jus de cuisson, versez le bouillon ou l'eau, portez à ébullition et rectifiez l'assaisonnement. Versez la sauce dans une saucière.

Disposez un lit de cresson autour du canard et accompagnez de cœurs de céleri ou de fenouil braisés.

83

INVOLTINI DI PETTI DI POLLO

Blancs de poulet farcis

Faites ce plat délicieux pendant la saison des asperges ou bien utilisez des asperges en boîte ou congelées.

4 blancs de poulet
Sel
Poivre
4 petites tranches fines de jambon cuit
4 tranches fines de bel paese
4 asperges cuites
Farine
40 g de beurre
1 cuillère à soupe d'huile
6 cuillères à soupe de marsala
2 cuillères à soupe de bouillon de poule
Asperges cuites ou en boîte pour décorer

POUR 4 PERSONNES

Retirez toute le peau et les os des blancs de poulet. Disposez-les à plat entre des feuilles de papier sulfurisé et aplatissez-les avec un rouleau à pâtisserie. Salez-les, poivrez-les et disposez sur chacun une tranche de jambon, une tranche de fromage et une asperge. Roulez-les délicatement, attachez-les et saupoudrez-les de farine.

Faites chauffer 25 g de beurre dans une poêle et faites-y dorer à feu doux les morceaux de poulet en les tournant fréquemment ; cela prend environ 15 minutes. Coupez la ficelle, disposez les morceaux de poulet dans un plat de service chaud et tenez-le au chaud.

Versez dans la poêle le marsala, le bouillon et le reste de beurre ; portez à ébullition et laissez frémir 3-4 minutes tout en grattant les sucs de viande collés au fond de la poêle. Versez sur les morceaux de poulet et décorez avec des asperges.

OSSOBUCO

Jarret de veau à la tomate

Chaque morceau d'*ossobuco* doit être coupé dans du jarret de veau sur 5 cm d'épaisseur, de sorte qu'il y ait un os au centre avec un peu de moelle.

Vous pouvez faire ce plat à l'avance et le réchauffer au moment de servir.

4 morceaux de jarret de veau d'environ 280 g chacun
Farine
3 cuillères à soupe d'huile d'olive
1 petit oignon haché
1 petite carotte coupée fin
1 branche de céleri coupée fin
1 feuille de laurier
15 cl de vin blanc sec
1 boîte (400 g environ) de tomates pelées
1 cuillère à soupe de concentré de tomate
Sel
Poivre
Gremolata :
1 gousse d'ail coupée fin
Le zeste râpé de 1/2 citron
2 cuillères à soupe de persil haché

POUR 4 PERSONNES

Passez les morceaux de viande dans la farine, en prenant soin de ne pas perdre de moelle. Faites chauffer l'huile dans une cocotte et faites dorer la viande à feu vif. Puis mettez-la à part sur une assiette.

Ajoutez dans la cocotte l'oignon, la carotte, le céleri et la feuille de laurier ; baissez le feu et laissez revenir 5 minutes, en remuant de temps à autre. Ajoutez le vin et laissez bouillir jusqu'à ce qu'il ait réduit de moitié. Ajoutez les tomates et leur jus, le concentré de tomate, salez et poivrez. Portez à ébullition, remettez la viande, couvrez et laissez mijoter doucement 1 1/2 heure ; la viande doit être tendre.

Retirez la viande, disposez-la sur un plat de service et tenez-la au chaud. Réduisez au mixer électrique les légumes en purée avec la sauce ; si c'est nécessaire, portez le mélange à ébullition, afin qu'il épaississe. Rectifiez l'assaisonnement et versez-le sur la viande.

Mélangez tous les ingrédients de la *gremolata* et saupoudrez la viande avec, juste avant de servir.

Traditionnellement on sert l'*ossobuco* avec un *risotto alla milanese* (voir page 82).

Involtini di petti di pollo

Ossobuco, Risotto alla milanese

VITELLO TONNATO

Veau à la sauce au thon

Il s'agit d'une association inhabituelle, mais délicieuse de veau froid avec une sauce au thon. Préparez ce plat un jour à l'avance, les parfums auront le temps de se mélanger. La sauce au thon peut aussi très bien accompagner des œufs durs.

1,2 kg de rôti de veau désossé
1 cuillère à soupe d'huile
30 g de beurre
Sel
Poivre
SAUCE AU THON :
1 boîte (90 g) de thon à l'huile
4 filets d'anchois
2 jaunes d'œuf
Le jus de 1/2 citron

20 cl d'huile d'olive
Sel
Poivre blanc

POUR DÉCORER :
Filets d'anchois
Câpres égouttées
Quartiers de citron
Branches de persil

POUR 6 A 8 PERSONNES

Ficelez solidement le rôti de veau.
Faites chauffer l'huile et le beurre dans une cocotte et faites dorer le rôti de veau. Salez, poivrez et couvrez. Mettez la cocotte au four et laissez cuire 1 1/2 heure à four tiède (160°), en l'humectant de sauce une ou deux fois. Laissez refroidir.
Pendant ce temps, faites la sauce au thon. Réduisez en purée au mixer électrique le thon avec son huile, les filets d'anchois, les jaunes d'œuf et 1 cuillère à soupe de jus de citron. Tout en continuant de fouetter, ajoutez l'huile peu à peu. Terminez en ajoutant 1 cuillère à soupe de jus de citron.

Découpez le rôti en tranches très fines, que vous disposerez sur un plat de service. Donnez à la sauce une consistance moins épaisse, en ajoutant le reste de jus de citron ou un peu du jus de cuisson de la viande et couvrez-en la viande. Recouvrez le plat d'une feuille de papier aluminium et mettez le plat une nuit au réfrigérateur.
Au moment de servir, décorez avec des filets d'anchois, les câpres, les quartiers de citron et le persil.

85

TACCHINO RIPIENO ARROSTO

Dinde farcie

1 dinde de 4,5 kg vidée
Sel
Poivre

FARCE :
500 g de marrons
40 g de beurre
2 tranches de lard demi-sel découenné
 et coupées fin
180 g de chair à saucisse

8 gros pruneaux ayant trempé une nuit,
 dénoyautés et coupés fin
8 poires mûres pelées et coupées fin
2 cuillères à soupe de vermouth blanc
 sec
Sel
Poivre
Beurre fondu

POUR 12 A 15 PERSONNES

Ôtez les abats de la dinde. Hachez le foie et mettez-le de côté. Salez et poivrez la dinde à l'intérieur et à l'extérieur.

Pour faire la farce, faites une incision en forme de croix sur les marrons. Mettez-les dans une poêle, couvrez d'eau et laissez frémir 15 minutes.

Égouttez-les et, tant qu'ils sont encore chauds, épluchez-les et retirez la peau interne. Coupez-les grossièrement. Faites fondre le beurre dans une casserole, faites revenir 1 à 2 minutes le lard, puis ajoutez le foie, les pruneaux, les poires, les marrons, le vermouth, salez et poivrez. Laissez refroidir et tassez la farce à l'intérieur de la dinde ; cousez la cavité pour éviter que la farce ne s'échappe.

Mettez la dinde au four après l'avoir badigeonnée de beurre fondu et l'avoir recouverte d'une feuille de papier aluminium. Laissez-la cuire 1 heure à four chaud (180°), puis baissez le four à 160° ; laissez cuire encore 2 1/2 à 3 heures, en retirant la feuille de papier aluminium 30 minutes avant la fin de la cuisson. Présentez la dinde sur le plat de service.

SALSICCE CON VERZADA

Saucisses au chou

Bien que ce plat soit meilleur avec les saucisses italiennes épicées, vous pouvez utiliser n'importe quelle saucisse pour confectionner cette recette.

1 kg de chou blanc
50 g de beurre
3 fines tranches de lard fumé coupées en dés
1 petit oignon coupé grossièrement

Tacchino ripieno arrosto, Crema di mascherpone, Pinoccate (page 61)

2-3 cuillères à soupe de vinaigre de vin
Sel
Poivre
8 saucisses
2 cuillères à soupe de persil haché

POUR 4 PERSONNES

Retirez les premières feuilles décolorées du chou. Coupez-le en quatre, retirez les côtes et coupez-le fin.

Faites fondre le beurre dans une casserole et faites revenir doucement le lard et l'oignon 5 minutes. Ajoutez le chou et remuez, jusqu'à ce qu'il soit nappé de beurre. Couvrez et laissez cuire à feu doux jusqu'à ce que le chou commence à fondre. Ajoutez le vinaigre, salez et poivrez.

Piquez les saucisses avec une fourchette et disposez-les sur le chou. Couvrez et laissez cuire à feu doux 1 heure, en vérifiant de temps à autre que le chou n'attache pas au fond de la casserole. Vous pouvez, si vous préférez, faire cuire le tout 1 heure à four moyen (160°).

Mettez le chou dans un plat creux, posez les saucisses dessus et saupoudrez de persil.

CREMA DI MASCHERPONE

Crème au fromage

Le *mascherpone* est un fromage de vache, à pâte molle et délicate, de consistance crémeuse. A défaut, vous pouvez utiliser un fromage blanc suffisamment gras. Sinon, ajoutez un peu de crème.

250 g de fromage blanc gras
2 œufs, jaunes et blancs séparés
50 g de sucre semoule
2 cuillères à soupe de liqueur à l'orange (Grand Marnier, Cointreau, etc.) ou de rhum
250 g de framboises ou de petites fraises fraîches

POUR 4 PERSONNES

Passez le fromage à travers un tamis, ou dans une moulinette ; versez-le dans une jatte. Ajoutez, en battant au fouet, les jaunes d'œufs, le sucre, la liqueur ou le rhum ; continuez de fouetter jusqu'à ce que le mélange s'éclaircisse. Battez les blancs, pour qu'ils soient fermes, mais pas trop durs. Incorporez-les doucement à la crème.

Versez la crème dans un plat de service, ou dans des plats individuels et décorez de fraises ou de framboises. Servez avec des biscuits secs croquants, comme les *pinoccate* (voir page 61).

MONTE BIANCO

Crème de marrons

Il y a une multitude de versions de cette recette, qui peut être faite très simplement ou qui peut être extrêmement élaborée. On la sert aussitôt qu'elle a été préparée.

500 g de châtaignes
180 g de sucre glace
1 pincée de sel
2 cuillères à soupe de rhum
15 cl de crème fraîche

POUR 4 PERSONNES

A l'aide d'un couteau, faites une incision en forme de croix sur les châtaignes. Mettez-les dans une casserole, couvrez d'eau et laissez mijoter 15 minutes. Égouttez-les et épluchez-les tant qu'elles sont encore chaudes.

Couvrez-les d'eau froide et laissez mijoter 45 minutes. Videz l'eau et laissez-les dans la casserole. Réduisez-les en purée, puis incorporez le sucre et le sel. Disposez cette purée sur un plat de service.

Ajoutez le rhum à la crème fraîche et fouettez-la. Pour que la présentation soit agréable à l'œil, disposez la crème au sommet de la purée de châtaignes, en laissant la base apparente.

Vous pouvez également servir cette purée de châtaignes dans des ramequins individuels, et répartir la crème au centre de chacun.

Piémont

Situé au Nord-Ouest de l'Italie, possédant une longue frontière montagneuse avec la France, le Piémont est surplombé par le Mont Blanc et le Matterhorn. Les plus basses pentes des Alpes sont couvertes de forêts ; elles sont parcourues par un très grand nombre de petits torrents qui alimentent le Pô. Le Piémont fournit des produits riches et variés. La cuisine piémontaise est à la fois montagnarde, raffinée et nourrissante.

Les vallées piémontaises sont fertiles et fournissent d'excellents légumes comme des asperges, du céleri, des poivrons, des artichauts, des oignons et, malgré sa latitude, des pêches, du raisin et des fraises. Dans la province de Novara, on détourne les torrents pour créer des rizières, ce qui a valu au Piémont d'être surnommé « le bol de riz de l'Italie ». Le Piémont produit également du fromage, notamment la *fontina*, fromage jaune et gras fait avec le lait des deux races bovines du pays ; c'était à l'origine un produit du Val d'Aoste. Les zones forestières du nord du Piémont abritent du gibier : marcassins, chamois, lièvres. On les fait cuire dans des sauces très parfumées, mais vous ne pourrez les déguster qu'en montagne, où on les trouve encore. Le gibier à plume comme le faisan et la perdrix est plus important. Le produit piémontais le plus précieux est la truffe blanche. On trouve ces « joyaux de la table » surtout dans la zone forestière au sud d'Alba.

Dans les régions montagneuses, en haute altitude, les aliments deviennent plus substantiels : soupes de légumes épaisses, viandes bouillies et plats très relevés avec de l'ail. Le *bolliti misti* (viandes diverses bouillies) reflète bien la façon traditionnelle de faire cuire un plat sur le feu. Il vous suffit simplement de disposer d'une très grande marmite, dans laquelle vous ferez cuire différentes sortes de viande (du bœuf, de la langue, de la saucisse, du veau) et des légumes. Turin, capitale industrielle du Piémont, est réputée pour ses *grissini* et pour son vermouth qui est un mélange de vin blanc, d'alcools, d'herbes aromatiques et d'extraits amers ; il accompagne très bien le poisson, le poulet et le veau.

Enfin le Piémont est le plus grand producteur de vin d'Italie. Les pentes basses bien exposées donnent du raisin qui servira à la fabrication d'un très bon vin de table rouge, comme le barolo, le barbaresco et le gattinara qui accompagnent des viandes rôties ou grillées, ou le barbera, vin plus corsé qui accompagne des plats plus relevés. C'est aussi dans cette région que l'on trouve des vins blancs réputés comme l'asti spumante.

BAGNO CALDO

Sauce aux anchois et à l'ail

Il s'agit d'un plat traditionnel piémontais qui nécessite un solide estomac.

Il en existe de très nombreuses variantes ; dans le Piémont on pose le plat sur un réchaud allumé au milieu de la table et on le sert avec des légumes crus coupés en bâtonnets. Les Piémontais apprécient beaucoup les cardons, mais vous pouvez utiliser n'importe quel légume. Des croûtons de pain *grissini* constitueront un bon accompagnement et un vin rouge corsé mettra ce plat en valeur.

ACCOMPAGNEMENT :
2 carottes
2 branches de céleri
1 cœur de fenouil
1 poivron rouge coupé en deux et épépiné
1 poivron vert coupé en deux et épépiné
Quelques petits oignons nouveaux
100 g de petits champignons de Paris
POUR LA SAUCE :
6 gousses d'ail écrasées
6 filets d'anchois écrasés
6 cuillères à soupe d'huile d'olive
80 g de beurre
1 petite truffe blanche coupée en lanières fines (si possible)

POUR 4 PERSONNES

Épluchez et nettoyez les légumes ; coupez-les en lanières de 1 cm de large. Laissez les champignons entiers ou bien coupez-les en quatre s'ils sont gros.

Pour préparer la sauce, mélangez l'ail et les filets d'anchois, jusqu'à ce qu'ils forment une pâte ; puis ajoutez l'huile peu à peu. Mettez le tout dans une petite casserole, ajoutez le beurre et laissez à feu doux environ 10 minutes, en remuant de temps à autre. Posez la casserole sur un réchaud et disposez les légumes tout autour.

Ajoutez la truffe blanche au moment de servir.

PEPERONI ALLA PIEMONTESE

Poivrons à la piémontaise

Ces poivrons farcis ajouteront une touche très colorée à un buffet, l'ail et les filets d'anchois leur donnant une saveur particulière.

4 poivrons verts
4 poivrons orangés
8 grosses tomates pelées et coupées en quartiers
8 filets d'anchois
4 gousses d'ail écrasées
8 cuillères à soupe d'huile d'olive

POUR 6 A 8 PERSONNES

Coupez les poivrons en deux dans le sens de la longueur, épépinez-les et retirez les cloisons. Passez-les sous l'eau, essuyez-les et disposez-les les uns à côté des autres, la partie creuse vers l'extérieur, dans un plat à four huilé.

Disposez deux quartiers de tomate dans chaque moitié de poivron. Écrasez les filets d'anchois à la fourchette, ajoutez l'ail et l'huile et mélangez bien. Répartissez ce mélange dans les poivrons.

Faites cuire sans couvrir, 30 à 35 minutes à four chaud (180°). Faites attention à ne pas trop laisser cuire. Servez froid en hors-d'œuvre ou bien sur un buffet.

FONDUTA

Fondue

La fondue n'est pas très différente de la fondue suisse ; mais elle est faite avec de la fontine, ce fromage piémontais riche et crémeux qui est produit dans le val d'Aoste. Il a la forme d'une très grande roue et on peut le trouver dans les épiceries italiennes.

La fondue pourra être un hors-d'œuvre inhabituel ou bien faire partie d'un buffet.

180 g de fontine
Lait
2 jaunes légèrement battus
20 g de beurre
Sel
Poivre blanc
Noix de muscade râpée (facultatif)

POUR DÉCORER :
Fines tranches de pain coupées en petits triangles et grillées
1 petite truffe blanche finement émincée (facultatif)

POUR 2 PERSONNES

Retirez la croûte du fromage et coupez-le en petits morceaux très fins. Mettez-les dans une jatte, couvrez-les

Bagno caldo, Fonduta

SALSA VERDE

Sauce verte

50 g de feuilles de persil fraîches
1 échalote
1 gousse d'ail
1 cuillère à soupe de câpres égouttées
4 cuillères à soupe d'huile d'olive
Le jus de 1 citron
Sel
Poivre

de lait et laissez-les tremper ainsi 4 à 6 heures. Égouttez le fromage, mettez le lait de côté et mettez le fromage au bain-marie. Ajoutez 2 cuillères à soupe de lait, les jaunes d'œuf, le beurre, salez, poivrez et ajoutez la noix de muscade.

Laissez cuire en remuant fréquemment jusqu'à ce que vous obteniez une pâte homogène. Versez-la aussitôt dans des bols individuels et disposez les triangles de pain le long des bords. Si vous avez une truffe, saupoudrez-la au-dessus de la crème.

Cette sauce rafraîchissante et légèrement piquante est traditionnellement servie avec le *bollito* (page 92) ; elle est également délicieuse avec de la viande froide et même avec du poisson froid. Vous pouvez aussi incorporer des filets d'anchois coupés en morceaux.

POUR ENVIRON 15 CL DE SAUCE

Hachez fin le persil, l'échalote, l'ail et les câpres. Mettez le tout dans une jatte et versez l'huile d'olive et le jus de citron ; salez et poivrez. Vous pouvez également passer tous les ingrédients au mixer électrique, jusqu'à ce que le persil et l'échalote soient hachés fin et que la sauce soit bien mélangée.

91

TROTINE AI FUNGHI

Truite aux champignons

Les lacs et rivières du Piémont abondent en truites ; cette recette combine judicieusement les champignons émincés et la chapelure.

350 g de petits champignons de Paris
4 truites d'environ 280 g chacune
Sel
Poivre
Farine
1 cuillère à soupe d'huile
80 g de beurre
2 brins de ciboule coupés fin
1 cuillère à soupe de persil haché
Le jus de 1/2 citron
30 g de mie de pain
POUR DÉCORER :
Quartiers de citron
Branches de persil

POUR 4 PERSONNES

Lavez, mais ne pelez pas les champignons, puis coupez-les en lamelles fines. Nettoyez la truite, mais laissez-lui la tête et la queue. Assaisonnez l'intérieur, puis passez-les dans la farine. Faites chauffer l'huile et 25 g de beurre dans une grande poêle ; faites dorer les truites de chaque côté 6 à 8 minutes ; elles doivent être bien dorées.

Dans une autre poêle, faites fondre 40 g de beurre et faites revenir la ciboule et les champignons jusqu'à ce que ces derniers fondent ; il faut environ 3 à 5 minutes. Ajoutez une pincée de sel, le jus de citron et mélangez bien.

Disposez les truites les unes à côté des autres sur un plat de service chaud, en intercalant des rangées de champignons entre elles. Tenez au chaud. Faites revenir rapidement la mie de pain dans la poêle où ont cuit les truites, en ajoutant du beurre si cela est nécessaire ; quand elle est bien dorée, répartissez-la sur les poissons. Décorez avec les quartiers de citron et les branches de persil.

FILETTI DI TACCHINO ALLA PIEMONTESE

Dinde au marsala

Cette recette a été adaptée afin d'utiliser des champignons à la place des truffes blanches.

500 g de blancs de dinde sans os et sans peau
Sel
Poivre
Farine
70 g de beurre
1 cuillère à soupe d'huile
100 g de petits champignons de Paris finement émincés
2 cuillères à soupe de parmesan râpé
6 cuillères à soupe de marsala
2 cuillères à soupe de bouillon de volaille
POUR DÉCORER :
Brocoli cuits ou pointes d'asperges
Quartiers de citron

Découpez les blancs de dinde en fines tranches pour faire quatre portions. Frappez-les du plat de la main pour bien les aplatir. Saupoudrez de sel, de poivre et de farine. Faites chauffer 30 g de beurre et d'huile dans une poêle et faites revenir doucement les morceaux de dinde environ 15 minutes ; ils doivent être tendres. Mettez-les dans un plat à feu profond et tenez-les au chaud.

Faites fondre dans la même poêle 25 g de beurre et faites revenir doucement 2 à 3 minutes les champignons en les tournant souvent. Retirez-les de la poêle avec une écumoire, disposez-les sur les tranches de dinde et saupoudrez de parmesan.

Versez le marsala et le bouillon dans la poêle, portez à ébullition rapidement, grattez les sucs de viande et laissez réduire de moitié. Faites fondre le reste de beurre et versez sur la viande. Placez quelques minutes sous le gril jusqu'à ce que le fromage soit fondu.

Servez aussitôt garni de pointes d'asperges ou de brocoli et de quartiers de citron.

BOLLITO MISTO

Viandes bouillies

Le *bollito* se faisait dans les campagnes du Piémont au temps où l'on faisait la cuisine dans la cheminée. Il s'agit d'un ensemble de viande que l'on fait bouillir dans une grande marmite et par conséquent destiné à un grand nombre de convives. Vous mettrez d'abord les morceaux de viande qui demandent une cuisson très longue, puis les autres, en fonction de leur temps de cuisson. La recette que vous trouverez ci-dessous est typique ; pour la modifier, vous pouvez ajouter des pieds de porc ou même un chapon ou une petite dinde.

1 petite langue de bœuf légèrement salée
1-1,5 kg de rôti de veau désossé
2 oignons coupés en quatre
2 carottes coupées en quatre
2 branches de céleri coupées en dés
Sel
10 grains de poivre
2 feuilles de laurier
1-1,5 kg de poulet vidé
1 cotechino (saucisse italienne)
Salsa verde (voir page 91)

POUR 16 A 20 PERSONNES

Mettez la langue dans une grande casserole, couvrez-la d'eau froide, portez lentement à ébullition, puis égouttez. Ajoutez de l'eau froide, afin que la viande soit bien couverte, et laissez mijoter doucement 1 heure. Écumez, ajoutez le veau, les oignons, les carottes, le céleri, le sel, les grains de poivre et les feuilles de laurier ; versez de l'eau pour que le tout soit bien couvert. Portez à ébullition, écumez et laissez encore mijoter 1 1/2 heure. Ajoutez le poulet et la *cotechino* que vous aurez piquée à l'aide d'une fourchette. Couvrez et laissez mijoter 1 heure ; toutes les viandes doivent être cuites.

Retirez-les et disposez-les sur un immense plat, après les avoir découpées. Servez-les arrosées d'un peu du jus de cuisson. Le reste du jus de cuisson vous permettra de faire un excellent potage.

Accompagnez le *bollito* de haricots blancs, de chou et de pommes de terre, avec de la *salsa verde*.

Trotine ai funghi, Manzo brasato al vino rosso

MANZO BRASATO AL VINO ROSSO

Bœuf braisé au vin rouge

Pour exécuter cette recette, on emploie souvent du barolo, mais vous pouvez aussi utiliser un vin moins cher qui conviendra parfaitement, pourvu qu'il ait du corps.

1,5 kg de bœuf à braiser
2 oignons
1 carotte
1 branche de céleri coupée en morceaux
2 gousses d'ail
2 feuilles de laurier
6 grains de poivre
1/2 bouteille de vin rouge
30 g de saindoux
Sel
Poivre

POUR 6 PERSONNES

Mettez la viande dans une jatte. Coupez en rondelles un oignon et hachez fin l'autre oignon. Ajoutez l'oignon en tranches, la carotte, le céleri, l'ail, les feuilles de laurier, les grains de poivre et le vin à la viande. Couvrez et laissez mariner 24 heures en tournant la viande plusieurs fois.

Sortez la viande de la marinade et égouttez-la soigneusement. Faites fondre le saindoux dans une cocotte. Faites revenir l'oignon haché environ 5 minutes. Ajoutez la viande, augmentez le feu et faites-la dorer de tous côtés. Versez la marinade dessus, après l'avoir passée et portée à ébullition. Salez, poivrez, baissez le feu, couvrez et laissez mijoter doucement au moins 3 heures ; la viande doit être tendre. Mettez la viande sur le plat de service, prête à être découpée.

A la fin de la cuisson, il doit rester juste assez de sauce pour humecter les tranches de viande. Toutefois s'il en reste trop, faites-la réduire en la portant à ébullition. Par contre si elle s'est trop évaporée, ajoutez un peu de bouillon ou d'eau.

Découpez la viande en tranches épaisses et disposez-les sur le plat de service chaud. Dégraissez la surface de la sauce, rectifiez l'assaisonnement et nappez-en la viande. Servez avec des pâtes au beurre ou avec des *gnocchi*.

93

PESCHE RIPIENE

Pêches au four

4 grosses pêches bien mûres
50 g de miettes de gâteau de Savoie
50 g d'amandes hachées ou de noisettes
50 g de sucre en poudre
30 g de beurre ramolli
Le jus de 1 citron

POUR 4 PERSONNES

Plongez les pêches dans de l'eau bouillante quelques secondes, puis dans de l'eau froide. Pelez-les, cou-pez-les en deux, dénoyautez-les. A l'aide d'une petite cuillère, creusez lé-gèrement chaque moitié. Hachez la chair que vous aurez retirée.

Mélangez la chair avec les miettes de gâteau de Savoie, les noix, le sucre, le beurre et le jus de citron. Disposez ce mélange dans les cavités des pêches et égalisez la surface.

Disposez les fruits les uns à côté des autres dans un plat à four bien beurré. Faites cuire 30 à 35 minutes à four chaud (180°). Servez chaud, tiède ou froid.

ZUPPA DI CILIEGE

Cerises au vin rouge

Voici une autre façon d'utiliser le délicieux vin rouge piémontais.

100 g de sucre
1 fine lanière de zeste d'orange
1 pincée de cannelle
1 cuillère à soupe de gelée de groseille
15 cl de vin rouge
500 g de cerises noires dénoyautées
4 fines tranches de pain, la croûte retirée
Beurre

POUR 4 PERSONNES

Mettez le sucre, le zeste d'orange, la cannelle, la gelée de groseille et le vin dans une casserole. Faites chauffer doucement jusqu'à ce que le sucre soit fondu, puis faites bouillir 1 minute. Ajoutez les cerises et laissez mijoter doucement 10 à 15 minutes.

Faites fondre le beurre dans une poêle et faites dorer les tranches de pain des deux côtés. Égouttez-les et disposez-les dans quatre assiettes creuses. A l'aide d'une écumoire, dis-posez les cerises sur les tranches de pain.

Laissez le jus réduire quelques mi-nutes en le faisant bouillir, puis pas-sez-le au-dessus des cerises et servez chaud.

Zuppa di ciliege, Pesche ripiene

INDEX

REMERCIEMENTS

Toutes les photographies de ce livre sont de Bob Golden, *sauf celles figurant aux pages suivantes :*
J. Allan Cash 26-27, 78-79, 88-89 ; Angel Studio 20 ; Rex Bamber 71 ; Melvin Grey 34 haut gauche, 40, 60 ; Sonia Halliday 54-55 ; Paf International 46 ; Pentangle Photography 38 ; Zefa (G. Barone) 62-63, (Studio Benser) 18-19, (W. F. Davidson) 70-71, (R. Everts) 36-37, (Starfoto) 44-45.

Les éditeurs remercient également les personnes et organismes suivants pour le prêt de matériel ayant permis d'illustrer cet ouvrage :
Britannia Catering Equipment Ltd ; British Crafts Centre ; Casa Pupo ; Craftsmen Potters' Association ; Elizabeth David Ltd ; Elon Tiles Ltd ; D. H. Evans ; Jeaggi Leon et Sons Ltd ; Sally Lawford's Country Kitchen ; Harvey Nichols et Co Ltd.